小学生実用BOOKS

5分でわかる 友だち術

友とも

さぁ！
ワクワクでニコニコな毎日が
キミを待っているよ！

JN001999

監修
上條正義
信州大学繊維学部
先進繊維・感性工学科教授

菅原 徹
スマイルサイエンス学会代表理事

指導
吉永安里
國學院大學人間開発学部
子ども支援学科准教授

神田裕子
心理カウンセラー

マンガ・イラスト
橘 皆無

Gakken

はじめに

学校の勉強以外の悩みって、ない？

「ニガテな友だちがいるから学校が楽しくない」
「仲良しの子とケンカしちゃった…」
「心が傷つくことを平気で言う子がいる」

そんな、
「どうしたらいいかわからないこと」の解決法、
だれに教えてもらおうか？

お父さん、お母さん、
きょうだい、
先生に聞く？　友だち？
インターネット？

ジョー

「どうしたらいいかわからないこと」で
悩んでいる…
そんな時は、
この本がキミの味方だよ！

尾も白い〜

にゃんちゃって★

にゃんころたちのストーリーから
キミ自身の答えがきっと見つかる！
しかも楽しく、おもしろく
読めるようになってるよ。

キミが笑顔で毎日を送るために
ちょっとだけ、猫の手ならぬ
猫の知恵を貸してあげる！

トール

もくじ

本書の登場人物にゃんころの解説

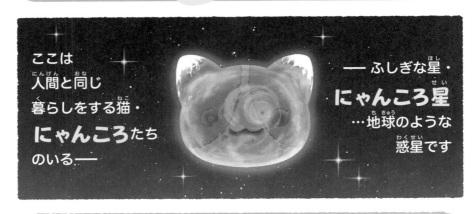

ここは
人間と同じ
暮らしをする猫・
にゃんころたち
のいる――

――ふしぎな星・
にゃんころ星
…地球のような
惑星です

この星の猫・**にゃんころ**たちは、しっぽが器用で
手足の代わりにしっぽでなんでもできるので

こ〜んな形をしています！

でも、今この本を読んでいる人間のキミには、
にゃんころたちの言動を、より身近に
自分のことのように感じてほしいので、
ときどき「擬人化モード」に
画面を切り替えてお届けいたします。

猫になったり、人間になったりしますが

本当の姿は猫なんです。でもね、ご心配なく！

色とデザインで、だれがだれだか、すぐにわかりますよ。

ほんとはこうです

プロローグマンガ 『微笑問題』ジョーとトール参上！

この本の舞台
にゃんころ町にゃんころ小学校

おはよー
昨日のN-1
グランプリ見た〜？

見た見たー！
『微笑問題』優勝したね
ちょー笑えた〜♡

はぁ〜〜…

どうしたのクッキーくん
大きなため息ついて

いや
それが…

たまちゃん

クッキー

最近ちょっと友だち
関係で悩んでて…

友だち関係？

それ私も同じ
どうしたらいいのかなぁって
困っちゃう時もあるよね

あるよねー

なになに？

どうしたの？

なんの話？

友だち関係って
悩むよね〜〜〜

何？
悩み？

8

やぁ！
ワクワクを届けに来たジョーです！

二人合わせて
『微笑問題』!!

ニコニコを届けに来たトールだよ！

にーゅ

うっ

わっ！テレビから出た!?

わーーっ!!

N-1グランプリの『微笑問題』!?

今日は先生として特別授業をしに来たんだ

みんなの悩みを解決して笑顔にしちゃうよ

ワクワク

ニコニコ

あの有名芸猫がっっ

わーーい!!

テレビから…

ボン！

お笑い芸猫は世を忍ぶ仮の姿！

本当はワクワクとニコニコの先生だよ！

さぁ！授業を始めるよ！

| ジョー先生 | トール先生 |

9

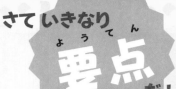

笑顔
の法則
その**1**

一番の親友はまず自分

心友

自分の心を裏切らない

自分の心

たとえば
こういうことだよ

本当はイヤ
なんだろ!?
心の声

ジョー先生

プロレスごっこで
遊ぼうぜ!!

ことわるのは、
こわい
言いにくい…

心の声

らんぼうな
遊びばかりで
イヤだにゃ～

16ページから
わかりやすい
例を載せたよ

自分の心を裏切ると

頭やおなかが
痛くなった

何もやる気が
おきない

こんなふうに心や体に
不調が出ることも
あるよ。

＼そーなんだ～／

…「笑顔の法則」は たった **2**つ

笑顔の法則 その2

十人十色
多様性を認めよう

この2つをよく覚えておいてね

多様性

見た目も性格も考え方も
みんなちがうね。これを多様性と言うんだよ。
「ダイバーシティ」とも言うよ。
猫世界では「ダイニャーシティ」だ。

トール先生

くろねこが一番!

いや シロネコだ!

シャムでしょ!

ハチワレが一番!

とらじまでしょ!

どのねこが
一番 かわいいかなんて ♥
えらべない
み〜んな
かわいいもの ♥

イヤン

にゃるほど

みんなちがってみんないい!
友だちも自分も
多様性を認めよう!

さぁ この後キミたちの
悩みに一つひとつ
答えていくよ!

11

大 友だち術

キャラクター紹介

にゃんころ小学校4年しっぽ組の仲間を紹介。キミに似た子もいるかな?
ここで覚えなくても大丈夫。マンガで名前も性格もわかるからね。

ふたご
姉 弟

親友

みけ

強くて元気な小4の女の子。習い事の
柔道は全国大会で優勝するほどの腕前。

クッキー

みけのふたごの弟で、4つ下の3つ
子の弟と妹がいる。「ノー」が言え
ないやさしく気弱な男の子。おか
し作りが大好き。

おシャムく〜ん

大ファン

たまちゃん

心やさしい女の子。
しっかり者。みけの親友。

おシャムくん

ハンサムなモテモテ男子。
趣味はバイオリン。

クローバーちゃん
お花屋さんの娘。内気な女の子。みけ、たまちゃんと仲が良い。

ランボー
短気でケンカっ早く、すぐに手が出る。体も人一倍大きいので、クラスのみんなからこわがられている。

シンボー
以前はいじめられっ子だったが、今ではランボーの子分で守られている。背が低いのを気にしている。

なっちゃん
仲良し4人組でおシャムファンクラブ・とりまきーずを結成。自分の家が貧乏なのでは、と気にしている。

まーちゃん
おシャムファン。とりまきーずの中心的な存在。やや自己中心的。男子よりも背が高いのを気にしている。

めがねこちゃん
読書と歴史が大好きなめがね少女。推しの武将は「伊達まさむにゃ」。まさむにゃグッズを集めている。

ちーちゃん
おシャムファン。とりまきーずの一員。くせっ毛、剛毛で、毎朝髪が爆発するのがコンプレックス。

ふーちゃん
おシャムファン。転校してきて後からとりまきーずの一員に。甘いものが大好きで、太っているのを気にしている。

おわらいくん
大阪大好き＆タイガースファン。将来、お笑い芸猫になりたい。コンビを組む相方を探している。

まなぶくん

クラスで一番勉強ができる。学級委員。特に理数系が得意な理系男子。パソコンも得意。運動はニガテ。

J1（本名 ぶち）

サッカー大好き男子で運動は得意だが勉強はニガテ。本名の「ぶち」がキライで、J1と呼ばれたがっている。

キリちゃん

歯に衣着せず、ずばずば物を言うので、クラスメイトから「キツイ性格」と言われるが気にしていない。

きらきらちゃん

超セレブなお金持ちのお嬢様。性格はおっとりしている。

モカちゃん

家がカフェで、父はバリスタ。母は南ニャメリカ出身。

にゃんぺい

おじいちゃんと2匹暮らし。おじいちゃんは漁師で、にゃんぺいも釣りの天才。一匹狼で男子に尊敬されている。

にゃん子先生

4年しっぽ組の担任の先生。趣味は読書と創作料理。しっぽ組の子たちに惜しみなく愛を注ぐ。

Special Teachers

ジョー

『微笑問題』としてトールとコンビを組み、人気番組『N-1グランプリ』で優勝した、実力派お笑い芸猫。ワクワクする気持ちを伝えるため、全国の学校に出張授業をする先生を兼務。

トール

『微笑問題』としてジョーとコンビを組み、テレビにもよく出る有名お笑い芸猫。笑顔の効果を伝えるため、全国の学校に出張授業をする先生を兼務。ジョーと共にいろいろ教えてくれる。

1章

こんな時は どうしたらいいの？

ここからは、実際の例で、
友だちの悩みと解決法を見てみよう！

らんぼうな友だち がいます　by クッキー

B面は46ページ

クッキー

> …こんな時はどうしたらいいの？
> 教えて！
> ジョー先生&トール先生

どんな悩みも解決法は一つじゃない！

まかせて!!

ワクワクのジョー先生とニコニコのトール先生が
ケース**1**の解決法を**5**つ用意したよ。
キミに合うのはどれかな？

キーワードは 自分の心 と 多様性 だ

解決法 A
言いたいことを言おう！

当たってくだけろ！ 正攻法バージョン

> ホントは毎朝しめわざやグリグリされるのすごくイヤだからやめてほしい

> なめっ

自分の心を裏切らない。ケンカになることを恐れず、まずは友だちに「本当はイヤだ」と本音を伝えてみよう。案外、相手はキミがイヤがっていることに気づいていないのかもしれない。

わかってくれた場合

良かった！ キミの気持ちが伝わったんだね。相手は、案外、ふざけていただけで、キミのことをいじめようという意図はなかったんだね。イヤなことは、これからも我慢せずにイヤだと言える友だち関係がいいね。

ダメだった場合

キミの気持ちが伝わらない相手とは距離を置いてもいいんだよ。言いたいことを言って、友だちとの仲がこじれちゃったら、その時には周囲の信頼できる大人や他のコミュニティーの友だちに相談してみよう。どんな時でもキミを守ってくれる人はだれかな？ お父さん、お母さん？ 先生？ 相談相手については 132 ～ 136 ページも見てね。

解決法 B

味方がいる別の コミュニティーに目を向ける!

世界は広いよバージョン

野球チーム

ケーキ作り

♪ピアノ

スイミングスクール

弟や妹と遊ぶ

※三つ子の弟妹

ごみ拾い

キミの居場所は学校だけじゃない。クラス以外にも、習い事、塾、スポーツ、いろいろなコミュニティーにキミの居場所があって、友だちや味方がいるよ! キミが活動する世界を広げていけば、きっとどこかに、味方がいる!

解決法 C 相手の立場になって 考えてみる!

勝手に想像→自己解決バージョン

その子はなんで、キミをいじめるのかな?

その子にはその子のいじめる理由があるんじゃないかな?

どんな理由があってもキミをいじめていいことにはならないけれど、たとえば、「あの子は4人きょうだいの末っ子で、上には強いらんぼうなお兄ちゃんがいて、いつも家でいじめられているからむしゃくしゃして、学校で弱い者いじめをするのかも」とか。相手の立場を勝手に想像して、自分の納得できる理由づけができたら気にならなくなるかもしれないね。

実は こんな 弱みが あったりして…

どうしてもその子と仲良くしたい時は…？
その子と仲良しさんを観察しよう！

ちょいまねバージョン

なんでシンボーは 仲良くしてられる？
なんでシンボーは なぐられない？

メモ1 シンボーは気がきく

ランボーに話しかける

メモ2 ランボーのやることをほめる

メモ3 ランボーをたよりにしている

笑いかける

つよりランボーにあこがれてる？

　自分の「イヤだ」という気持ちを曲げても「どうしてもその子と仲良くしたい！」時もあるよね。
　その子と仲良しの子たちは、なんで仲良くしていられるのかな？ それをよ〜く観察して、その理由を探して、キミも見習ってみては。たとえば、あまり意見は言わずに、従っている？ それとも、ハキハキ意見を言って、先回りしてアドバイスしている？ それをちょっぴり見習ってまねしてみよう。ただし、ずっと我慢するのはやめようね！ 自分の本心はそれを望んでいるのかな？
　キミの中にモヤモヤがたまってきたら、それは本心とはちがう選択をしてるってコト。別の解決法に切り替えて試してみよう。

解決法 E 一人になる勇気をもとう！

ぼっちも平気バージョン

学年が上がったらクラス替えがあったり、中学では別の学校になって別れたりすると、また新しい友だちができるよ。

我慢してまでイヤな人と無理につきあわなくても、そのうち親しい友だちは必ずできる。キミは変わらなくていい、そのままのキミでいていいんだよ。それに一人でいるのも悪くないよ。好きなことに没頭する時間は、できることも増えて、自分の心を裏切ってイヤな人と過ごすより、ずっと楽しいものだよ。

連続
三重跳び！

みけの場合は…
一人で猛練習

さて、キミが試してみようと思うのは5つのうち、どの解決法かな？　一つ試してうまくいかない時は、別の解決法も試してみよう！

Yes No de 解決法

イエス（はい）　ノー（いいえ）　かいけつほう

スタート

学級委員、班長や委員長になったことがある。

→ **No** → 思ったことは、すぐにそのまま口にする。 → **No**

↓ **Yes**

自分は裏表のない性格だと思う。

→ **No** → 大勢でワイワイ騒ぐのが好きで、その中心付近にいることが多い。 → **No**

↓ **Yes**　　　　　　　　　　　　　↓ **Yes**

たとえ他人と衝突してでも、自分を曲げたくない。

→ **No** → 初めて会った人ともすぐに仲良くなれる。 → **No**

↓ **Yes**　　　　　　　　　　　　　↓ **Yes**

みけ タイプ

みんなの前でも臆せずに言いたいことが言える、正義感が強いリーダータイプ。

解決法
→ **A** （19ページ）からトライ！

おわらいくん タイプ

社交的で人の輪の中心にいる。仲間と大勢で何かをするのが好きで、一人だとさみしい。パリピ・ネアカ。

解決法
→ **B** （20ページ）からトライ！

「5つの解決法のどれから試すか、選べないよ」というキミに、
どの解決法がキミにぴったりか、YES・NO テストでアドバイス。
もちろん、テストの結果で選んだオススメ解決法以外の方法だっていいよ。
自分が納得できる解決法を試そう。レッツ・トライ！

時間を忘れて没頭できる趣味がある。

↓ No

無理に人に合わせるよりは一人でいたい。

↓ No

演劇をやるならどっち？
ア シナリオや監督がいい。
イ 主役でも脇役でも、自分が演じる方がいい。

 Yes

めがねこちゃんタイプ

一人でもさみしくない。自分の世界を持っている芸術家タイプ。周囲から浮いているかもしれないけれど、それをあまり気にしてもいない。

解決法 E (23ページ)からトライ！

 Yes

クッキータイプ

縁の下の力持ち、マネージャータイプ。お人好しで、頼まれたら断れない。自分を強く主張するのはニガテ。

解決法 D (22ページ)からトライ！

 アの人

イの人

おシャムくんタイプ

だれにでも好かれ、要領よくみんなとうまくやれる。本心はあまり言わない。優柔不断なところがあるかも。

解決法 C (21ページ)からトライ！

キミに合う解決策は見つかったかな？　ケース1の解決法A〜Eは、ほかにもいろいろな悩みに応用できるよ。
次からは、それぞれのキャラの個別な悩みとその解決法を見ていくよ。

仲良しグループ以外の子と話しちゃダメと言われちゃった… by なっちゃん

B面は50ページ

わたしたち いつもいっしょ

今日もおシャムくんはステキね〜

なかよし3人組♥

まーちゃん

なっちゃん

ちーちゃん

ふーちゃんが転校してくる前のお話

ある日—

この問題わからないなぁ〜

ねえ　めがねこちゃんここわかる？

教えてもらっていい？

いいよ

めがねこちゃん

すご〜いめがねこちゃん頭いい〜

26

ケース2の解決法を二つ紹介。
キミならどっちを選ぶ？

なっちゃん

お悩み

二人の怒りを解いて、めがねこちゃんと話すのをわかってほしい

解決法 Ａ 二人に自分の気持ちを正直に話して理由を聞く

「言えない」と思っちゃうかもしれないけど、自分の気持ちを話さなければ、何も変わらないよ。「二人のことがとっても大事」と伝えてみよう。安心するんじゃないかな。その上で、めがねこちゃんとも仲良くしたいと話してみよう。なぜ、めがねこちゃんといっしょがイヤなのか聞いてみると、二人なりの理由があるかもしれないよ。

めがねこちゃん教えるのうまいよ

どうして話しちゃだめなの？

だって…

この前 めがねこちゃんにムシされたから、ちょっと怒ってるの…

きこえなかっただけかもだけど…

ねえ ねえ

ムシ！

己の世界にぼっとう中

なーんだそーだったんだ

わかってくれた場合

良かった！ これからは二人にも声をかけて、いっしょにめがねこちゃんと話すようにしてみよう。いっしょに勉強を教わってもいいよね！

わかってくれない場合

う〜ん。仕方がないね。めがねこちゃんと話すのを我慢するか、それともいつか二人がわかってくれることを信じて、このままめがねこちゃんとも仲良くしながらがんばってみるか。両方と仲良くする方法もきっとあるよ。どちらにしても、自分の本当の気持ちを大切にね。

信頼できる大人に相談する

となりの
おねえちゃん

にゃん子
先生

うん
うん

スクールカウンセラー
の先生

おかあさん

※この場合、相談相手は同じクラス
の友だちではない方がいい。詳しくは
132〜136ページを見てね。

クラスの中で起こったことを解決するなら、やっぱり担任の先生に相談するのが一番。他にもお父さんやお母さんやスクールカウンセラーの先生など、信頼できる大人がいいね。他の人の意見を聞くと参考になるし、気持ちも受け止めてもらえて、スッキリするよ。いろいろなアドバイスを聞いて、どの意見を取り入れるか、取り入れないかを決めるのは自分だよ。

ジョーから
一言

「他の人と遊ばないで」は大好きの表れ

「他の人と遊ばないで」は、大好きという気持ちの表れという場合もある。それが伝わってきたとしたら、うれしいことだよね。その思いに感謝して話すと、話し方も変わってくるんじゃないかな。直接言いづらい時は、手紙に書いて渡してもいいね。

みんなに誤解（ごかい）されちゃった！
by みけ（バイ みけ）

B面（めん）は**54**ページ

ど…どうしよう……

クローバーちゃん 上手にできたって
すごく喜んでた作品…

クローバーちゃんの
すごくステキ!

♥

クローバー
ちゃん上手!

来週の展覧会が楽しみだわ

展覧会はお店休んで見に行くね

クローバーちゃんの
お父さんとお母さんも
とてもうれしそうだった…

クローバーちゃんの
大事な作品が
壊れちゃった……!

どうした?

わら わら

fire

みけ!
おまえが壊したのか!?

あっ!

え…?

31

あ〜あ
やっちまったな〜〜

おまえが落としたんだろ
正直に言えよ〜

ぶつかって落としたのは
おわらいくんだよ？

ち…ちがう
おわらいくんが…

人のせいに
すんなよなぁ

ちがう
あたしじゃない

でもあたしが
追いかけてたせいも
あるし…

先生〜！
みけが作品を
壊しました〜

だれの？
クローバーちゃんの？

ク…クローバーちゃん
これはね…

……

あ…
クローバーちゃん…

いいの
わざとじゃないんだもの

お悩み解決法を考えてみよう

ケース3はお悩みが3つあるね。
それぞれの解決法を考えてみよう。

みけ

お悩み1
おわらいくんがどうして名乗り出ないのか みけのことをどう思っているかを知りたい

お悩み1 解決法
おわらいくんと 話し合う

みけのモヤモヤの一番の原因は、おわらいくんの態度にあり！　みけが犯人扱いされてどういうつもりなのか、おわらいくんの気持ちを聞いてみよう。ただし、いきなり責めると引いちゃうかもしれないので、ソフトにね。

わかってくれた場合

みんなにおわらいくんが「自分がやった」と言ってくれれば、お悩み3も解消！

ダメだった場合

お悩み3と合わせて、先生に相談してみよう。

みけ

お悩み2
クローバーちゃんと元のような 仲良しに戻りたい

ごめんね…クローバーちゃん…

お悩み2 解決法
きちんと クローバーちゃんに謝る

どうしてこういうことになっちゃったのか、そして悪いと思っていることを心から謝ろう。一応、その場で謝ってはいるけど、あらためてしっかり気持ちが伝わるように謝ることが大切だよ。

みけ

お悩み 3

クラスのみんなの誤解を解きたい

お悩み 3
解決法 先生に相談する

クローバーちゃんの作品が壊れるなんて一大事。この後、先生も知ることになるはず。そこで、どうしたらいいか先生に相談してみよう。おわらいくんに話してみてダメだったのなら、そのことも合わせて先生に伝えると、そのことも考えた上でいい方法を教えてくれるよ。それでも誤解が解けない時は、他の先生や親に相談を。「担任以外の先生」も選択肢に入れてみてね。

トールから
一言

誤解はそのままにしておいてはモヤモヤが残るよ!

問題が起きた時は、その原因ごとに解決法を探っていくといいよ。みけへの誤解を解くには、おわらいくんがやったと伝えないとだね。それにはおわらいくん自身が名乗り出るのが一番! そのためにはどうしたらいいかを考えてみよう。

おわらいくんを追っかけてたら…

クローバーちゃんの作品におわらいくんのひじが…

これのあたしじゃないのに～

…でも追っかけてたのあたしだし…

そっかぁみけちゃんもつらかったね

放課後3人で話し合いましょうね

正直に話すこといいわねおわらいくん

ほっ…

はい

みけ ジャン…

クローバーちゃんはどうしたい?

図工の先生にたのんで作る時間をとってもらいたいです

先生 たのんでみるね

手伝う!

オレも!

でもプリン食べたのはゆるさん

え…

ケース4 A面 の巻
いつもぼくをいじってくる友だちがいます by まなぶくん

B面は58ページ

実はぼく…

まなぶくん

J1が
ニガテ……

……

J1

だって
ドッジボールしてる時…

みんな～
まなぶ先生が投げるぞ～
止まってていいぞ～
当たんないから！

ドッ

……

女子と話している時…

おっ！ まなぶ先生
何教えてんの？
まさか運動じゃないよね～？

きいろいメガネが超～おしゃれ
顔へディングのうまいまっなっぷく～ん

お～い

恥ずかしい…

今日はオレンジのメガネだし、

ぼくをいじりまくる
から苦手

これから社会科見学の
グループ分けをします
4人ずつのグループを
作ってください

はーい

社会科見学
楽しみだなあ

キョロ

4人…4人

キョロ

まなぶ！

ドン

同じグループに
なろうぜ！

え!?

おーい

おわらい　にゃんぺい
グループになろうぜ

おお！

ええよー

え…!?

ぼくは
社会科見学中
ずっと…

まなぶ〜
あれなんだって〜？

えーと…

ずっと…

まなぶ〜
あれ取ってきて〜

まなぶ〜
弁当見せろよ〜

まなぶ〜
先生に言って
きてよ〜

まなぶ〜
早くしろよ〜

J1にいじられる
のか――!!

ガクッ

いやだー――

37

お悩み解決法 を考えてみよう

ケース4の解決法は二つが考えられるね。
キミならどっちを選ぶ？

まなぶくん

お悩み

J1がニガテ。いじられたくない

解決法 1

J1にいじられたくないと、自分の本当の気持ちを伝える

みんな〜
まなぶ先生が投げるぞ〜
止まってていいぞ〜
当たんないから！

……

きいろいメガネが超〜おしゃれ
顔へディングのうまいまっなっぷく〜ん

恥ずかしい…

今日はオレンジのメガネだし、

え!?
そうだったの？

いつもはずかしくて
イヤだったんだよ！

「イヤだ」という自分の気持ちをすなおに伝えよう。相手は全然気がついてなかったってことも多いよ。J1 がどういう気持ちだったのか、こっちが気づいてなかったりもするしね。

わかってくれた場合

J1のいじりもなくなって、新たな友だち関係が築けるんじゃないかな。

伝えたけど、いじるのをやめてくれない場合

う〜ん。仕方ない。でも、J1にはイヤだという自分の気持ちは伝わったので、これからもイヤな時は「イヤ」とはっきり言っていこう。

一緒のグループになろーぜ

ううん
ボク 他のグループに入るから

お？
そーか

イヤだ イヤだって
もーさそってやんねー

いいもん

解決法 2

信頼できる大人にアドバイスをもらう

信頼できる大人（親・先生・スクールカウンセラーなど）に相談してみよう。客観的にどう見えていたのか、ちがう視点をもらえて気づきが得られるんじゃないかな。

ジョーから一言

いじるのは「好き」だから？ それとも「キライ」だから？ まず見極めを！

「いじる」のはどうして？ 「好き」だからいじるのと、「キライ」だからいじるのと、大きく分けて2パターンあるので、これはどちらのいじりかをまず見極めるようにしよう。

「好き」の場合は、本人に言えば解決するケースが多いけど、「キライ」の場合は、いじめに発展することもあるので、一人でかかえこまないで担任の先生への相談も選択肢に入れてみよう。助けてくれる大人は必ずいるよ！

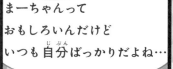

ケース5 A面 の巻

仲良しグループにジコチューな友だちがいます

by なっちゃん ふーちゃん ちーちゃん

B面は62ページ

まーちゃんって
おもしろいんだけど
いつも自分ばっかりだよね…

なっちゃん

まーちゃんにいつも
合わせてばっかだと
つかれるよねぇ…

ふーちゃん

昨日も
そうだったよね〜

ちーちゃん

昨日――

ねえねえ
今日も遊ぶでしょ

うん　いいよ
遊ぼっ

まーちゃん

家に帰ったら
ふーちゃんの家
に集合ね！

え〜
またうち？

いーじゃん
いーじゃん

ふーちゃん家

ねえ
ねえ

ミューチューブ
見ようよ

おもしろいの
みつけたんだ〜

40

カードゲーム
しよう！

おなかすいたー

おやつ
どうぞ

きゃ〜♥
さすが
ふーちゃんママ！
ナイスタイミング〜

手作りなのよ

ふーちゃんママ聞いて
私もこの間
ケーキ作ったのー

まぁ

次はアップルパイ
作ろうと思ってー

3人も
いっしょに作ろうよ！ね！

……

じゃあ
ごゆっくりね

人の話
聞かないしさ

なんか
自分中心じゃないと
イヤっていうか…

こっちもしたいこと
あるんだっつーの

……で

どうする…？

……

41

ケース5はお悩みが細かく分けると二つあるね。
それぞれの解決法を考えてみよう。

なっちゃん ちーちゃん ふーちゃん

お悩み 1

まーちゃんにジコチューになっている と気づいてほしい

お悩み1 解決法
まーちゃんに気づいてもらうために、 4人で話し合う

まーちゃんは気づいていないのだから、変わってほしいなら、やっぱり話さないとだよね。4人で話し合って、どうしたらいいか考えてみよう。その際、まーちゃんを責めてるわけじゃないことを伝えるように気をつけてね。

ふーちゃんちに集合ね！

え!？またうち？

私たちの話も聞いてほしいの

いつもうちばかりは困るっていうか…

私たちにもやりたいゲームあるし

ごめんね 私ジコチューだったね

反省…

わかってくれた場合

気づいてくれてよかった！まーちゃんの行動も変わってくると思うよ。

話したけどジコチューをやめない場合

う～ん。仕方ないと我慢するか、まーちゃんとのつきあいを、合わせすぎないように変えていくか。いつかわかってくれるかもしれないと見守っていこう。

なっちゃん ちーちゃん
ふーちゃん

振り回されて言いなりになっている自分がイヤ

お悩み 2
解決法
4人で過ごす時のルールを決める

「まーちゃんばっかり」にならないように、4人で過ごす時のルールをみんなで決めてみよう。必ず「何で遊ぶか」一人ひとり意見を言うとか、「ちーちゃん」「ふーちゃん」「なっちゃん」の日を作るとか。平等に楽しめるルールを作れば、自然に振り回されることも減っていくはず。

今日はふーちゃんの日ね！何して遊ぶ？

じゃあねーまーちゃんちで遊びたい！

ボードゲームしたいな

まーちゃんのお部屋オシャレで荷ぬき！

宿題も一緒にやりたいな

今日も おシャムくん かっこよかったねー♡

ねー ね— ねー

とりまきーずの4人は本当に仲がいいな〜

トールから
一言

「キライ」だから言っているんじゃないと、伝えることを心がけて

いつも相手に合わせてばかりはつかれるし、楽しくないよね。自分にもやりたいことがあると、まずは相手に伝えてみよう。「キライ」だから言ってるんじゃないとわかってもらえるように、言葉を選んでね。

スマイルぷち知識 1

笑顔のメカニズム

悩んだり、不安だったりする時こそ、オススメなのが

スマイル！

これは「笑顔」という意味の英語で、「笑う」「笑って」という意味もあるよ。
人は笑顔になると、自然に明るい気持ちになるんだ。
さあ、いっしょに「スマイル〜！」

うれしい時に人は
笑顔になるよね。
それは脳から顔の筋肉に
信号が行くからなんだ。

脳

信号

HAPPY

HAPPY

信号

逆もあるんだよ！
うれしくない時でも
笑顔を作ると脳が勘ちがいして
明るい気持ちになれるんだ！

脳

HAPPY

脳が勘ちがい

形だけでも笑うと
効果があるとは
びっくりだよね

だけどとても
そんな気持ちに
なれにゃいよ〜

ジョー先生
笑顔になるには
どうしたらいいの？

…というキミに、笑顔になれる
おまじないを紹介するよ。
68ページを見てね。

44

2章
やった方の気持ちも聞いて！

ここからは、1章と同じ例を、
相手側からも見てみよう。
両面から見ると、
キミの考えはどう変わるかな？

「らんぼうな友だちがいます」って だれのこと？ by ランボー シンボー

A面は 16 ページ

ランボーとシンボーは怒っていた

イヤならイヤってはっきり言えばいいんだよ！

なんでオレらがみけたちや先生に怒られなくちゃいけないんだよ！

ホントだよ！

みけのふたごの弟

クッキーに対してである――…

その日　オレたちは楽しく遊んでいた――…

うしろにスキありっ

宿題やったか？見せろよっ

仲が良いもの同士のスキンシップじゃん

どれどれ？

それなのに――…

やめなさいよ！

イヤがってるじゃない！

出た————！！

先生まで来るしさんざんだったぜ

さいあく！

全部クッキーのせいだ！

あいつだって楽しそうだったよな

うん

やめろよ〜

……

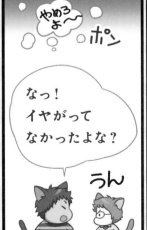

やめろよ〜

ポン

なっ！イヤがってなかったよな？

うん

なよなよしてるから鍛えてやったのにさ…

女に甘えやがって

ああいういい子ちゃんは無視だ無視！もう遊んでやらん！！

Q  はどう思っていた？

ランボー　シンボー

ランボーとシンボーは、
スキンシップと思っていた。

> 宿題やったか？
> 見せろよっ
> どれどれ？
> グリグリ
> いたい……
> やめろよ〜

ランボーとシンボーは
クッキーを鍛えている
つもりだった。

> なよなよ
> してるから
> 鍛えてやった
> のにさ…
> 女に甘え
> やがって

ランボーとシンボーは、
先生に怒られ、
クッキーのせいで
ひどいめにあったと思っていた。

> 先生まで来るし
> さんざんだったぜ
> さいあく！
> 全部
> クッキーのせいだ！

考えてみよう

クッキーの側からと、
ランボーとシンボーの側からとで、
見方はちがうね。
他にキミはどんなことに気づいたかな？

Q  はどうしたらいい?

クッキー

とにかく、自分を責めないで。
なぜなら、どんな理由があっても
暴力はいけないことだから。
暴力を受けたキミは悪くない。

イヤだ——!! やめろ——!!

ドッカーン!

ボクだって
ホントは大声で
言いたいよ…

言えない…

ランボーとシンボーが、先生に
怒られた理由を納得できるよう、
みけたちや先生がランボーや
シンボーに注意をした時、
自分の気持ちを伝えられたら
よかったね。でも怖くて
伝えられなかった
キミは悪くないよ。

やめなさいよ! イヤがってる
じゃないよ!

たまちゃん みけ クローバーちゃん

うわっ
出た!!

イヤだって
言えたらいいけど
…でもね…いじめっ子なんだ

つかまえた!
あなたたち
何したの?

何もして
ないよー!

してました

二人のしかえし
こわくて
言えないんだよ

ずーん…

**考えて
みよう**

まずは自分の本当の気持ちを伝えたいね。
面と向かって本人に言えない時にだれかに助けを
求めるのは悪いことじゃないよ。
でもだれにも言えない時はどうしたらいいかな?
キミがクッキーだったらどうするかな?

なんで… なっちゃんと めがねこちゃん が…?

なんか… おもしろくない

放課後

なんでめがねこちゃんと話してるの?

勉強教えてもらっただけだよ

勉強なら私たちでやればいいじゃない! めがねこちゃんと話さないで!

え!?

将来は3人でアイドルデビューするって約束したでしょ!!

なっちゃんは私たちといっしょにいるのが一番なの——っ

Q　はどう思っていた？

まーちゃん　ちーちゃん

A

二人はなっちゃんと放課後、
いっしょに勉強しようと
思っていた。

> まーちゃん
> 今日の問題
> 難しかったね

> 放課後
> 図書館で
> 勉強しようか？

> ちーちゃん

> 新しい図書館ね
> あそこいいよね

> まーちゃん

> なっちゃんも
> さそってさ

めがねこちゃんは頭がいいから
勉強のことを聞きに行く、ってことは
自分たちは頭が悪いってこと？
と二人は感じたかも。

> すご〜い
> めがねこちゃん
> 頭いい〜

> めがねこちゃん

> なっちゃん

自分だけでめがねこちゃんに聞きに行くなんて、
のけ者にされて
いるように
二人は感じたかも。

> なんで…

> なっちゃんと
> めがねこちゃん
> が…？

考えて
みよう

**ちーちゃんとまーちゃんは、なっちゃんが先に
めがねこちゃんに声をかけたことで、さみしく
感じたんだね。でも、それをなっちゃんが
察するのは、かなり難しいことだと思うな。**

Qがもしもあの時こうしていたら？

なっちゃん

勉強なら私たちでやればいいじゃない！

めがねこちゃんと話さないで！

え！？

「めがねこちゃんと話さないで！」と言われた時、なぜ、めがねこちゃんと話してはダメなのか、二人に理由を聞いていたら？　なっちゃんの納得できる理由があれば、モヤモヤしなかったかも…。

ある日―

この問題
わからないなぁ～

次にまた同じようなことが起きたら、たとえばめがねこちゃんに聞きに行く前に、「この問題わかる？」と先に二人に聞いたり、「みんなでめがねこちゃんに聞きに行こう」と二人をさそったりしたら、二人の感じ方はちがうのかも…。

わかるけど…確かにちーちゃんとまーちゃんは大切な友だちだけど…めがねこちゃんとは席も近いし勉強聞いて何が悪いのかやっぱり　わかんない～～～！

考えてみよう

このケース、なっちゃんは全く悪くないよね。
仲良しの子に「自分以外の子と仲良くしないで」と思うのはよくあることで、その思い自体は仕方がない。
でも、だれと友だちになろうが、なっちゃんの自由だ。
二人がそれに気づくといいんだけれど。
キミがなっちゃんだったらどうするかな？

今さら言えない… どうしよう？

by おわらいくん

A面は30ページ

ド… どうしよう…

みけが… 責められてる…

あ〜あ やっちまったな〜〜

おまえが落としたんだろ 正直に言えよ〜

人のせいに すんなよなぁ

先生〜！ みけが作品を壊しましたー

壊したの オレなのに…

みけちゃんと謝れ！

クローバーちゃん 泣いてるぞ

謝らなくちゃ いけないのは オレなんだけど…

みけが…
すごい顔でにらんでる…

こ…
こわい……

そういえば
クローバーちゃん

クローバーちゃんの
すごくステキ！

クローバー
ちゃん上手！

来週の展覧会
が楽しみだわ

展覧会は
お店休んで
見に行くね

図工の先生が
すごくほめてたなぁ…

来週の展覧会が
終わったらコンクールに
出すって言ってたっけ…

クローバーちゃんの
お父さんとお母さん
すごくうれしそうだった
なぁ…

どうしよう

接着剤

Q  はどう思っていた？

A

おわらいくんは、
みけが怒られるとは
思ってもみなかった。

みけが… 責められてる…

おまえが落としたんだろ
正直に言えよ〜

あ〜あ
やっちまったな〜〜

先生〜！ みけが作品を
壊しました—

人のせいに
すんなよなぁ

おわらいくんは、
謝らなくちゃ
いけないのは
自分だとわかっていた。

壊したの
オレなのに…

みけ
ちゃんと謝れ！

クローバーちゃん
泣いてるぞ

あやまらなくちゃ
いけないのは
オレなんだけど…

おわらいくんは、クローバーちゃんだけじゃなく、
クローバーちゃんの
お父さんとお母さんも作品を
楽しみにしていたのを
知っていた。

そういえば
クローバーちゃん

クローバーちゃんだよ
クローバーちゃんだね！

図工の先生が
すごくほめてたなぁ…

来週の展覧会が
終わったらコンクールに
出すって言ってたっけ…

来週の展覧会
が楽しみだわ

展覧会は
お休み取って
見に行くわ

クローバーちゃんの
お父さんとお母さん
すごくうれしそうだった
なぁ…

考えて
みよう

おわらいくんは、謝るタイミングがつかめなくて、それに、クローバーちゃんの気持ちも考えて、よけいに言いづらくなっちゃったんだね。他にキミはどんなことに気づいたかな？

Q がもしもあの時こうしていたら？

A

作品が展示してあることを
知っていたのに、
そこでおわらいくんを
追いかけなければ、
事件は起こらなかったかも。

「いっしょに
クローバーちゃんに謝ろう」と
声をかければ、
おわらいくんも
すなおに謝ることができたかも。

あやまろう！

あたしも
いっしょに
行くから

うん…

クローバーちゃん
ごめんなさい！！

いいよ

考えて
みよう

ぬれぎぬを着せられたのはみけの方だけど、
そもそも一歩まちがえば、みけがぶつかって
作品を壊したかもしれない。そんな場所で
走ったことは、みけ自身も、もちろんおわらいく
んも反省しないとね。
キミがみけだったらどうするかな？

57

まなぶはオレが支えて やってるのさ！ by J1

A面は36ページ

オレ…

J1

まなぶって なんかほっとけないんだよな

まなぶ

なんかあいつ どんくさいし 大丈夫かなって 思うんだよね

おそいぞー

はぁ…

みんな〜 まなぶ先生が投げるぞ〜 止まってていいぞ〜 当たんないから！

ドッ

思いっきり 投げろよー

よしっ

あ…女子がなんか つまらなそうだぞ

笑わせてやっか…

おっ！ まなぶ先生 何教えてんの？ まさか 運動じゃないよね〜？

どっ

J1

あ　まなぶだ
なんか元気
ないな…

とぼ　とぼ

おーい！

きいろいメガネが超〜おしゃれ
顔へディングのうまいまっなっぷく〜ん

ワハハハ

えっ

もう
かえるのかよ〜
いっしょに
かえろーぜ

う…

かまわないで
ほしい…

これから社会科見学の
グループ分けをします
4人ずつのグループを
作ってください

別の日——

はーい

キョロ　キョロ

4人
4人…

さそってやっか…

ヤレヤレだぜ

へー…。

まなぶ！
同じグループに
なろうぜ！

え！？

ええよ〜

おーい！

おわらい
にゃんぺい
グループになろうぜ

いやだ
なぁ…

おお！

オレって
いい奴！

これで
4人だな！

59

ケース **4**

A面
36-37
ページ

B面
58-59
ページ

両面見て考えてみよう

Q  はどう思っていた？

なんかあいつ
どんくさいし
大丈夫かなって
思うんだよね

はぁ…

おそいぞー

J1はまなぶくんが心配で、
放っておけないと思っていた。

おっ！まなぶ先生
何教えてんの？　まさか
運動じゃないよね〜？

どっ

J1は、まなぶくんの行動がみんなを
笑わせ、好かれて孤立しないよう、
手助けしていると思っていた。

オレって
いい奴！

これで
4人だな！

J1は「自分は良いことを
しているので、
まなぶくんに感謝されている」と
思っていた。

考えて
みよう

まなぶくんのことが放っておけないJ1。
実はまなぶくんのことが大好きなんだね。
他にキミはどんなことに気づいたかな？

Q がもしもあの時こうしていたら？

まなぶくん

きいろいメガネが超〜おしゃれ
顔へディングのうまいまっなっぷく〜ん

「J1がぼくをいじると
みんなが笑う。
笑われるのは、
恥ずかしくてイヤなんだ」
と、正直な気持ちを
J1に伝えていたら、
J1も言わなくなったかも。

「J1にあれこれ命じられて、
使いっぱしりみたいに
なるのはイヤだ」
とJ1に伝えていたら、
J1もそういうことは
しなくなったかも。

考えてみよう

まなぶくんがどう思っているかを伝えないと、
J1はこの先も気づかないかも。
気づかなければ、態度もきっと変わらないね。
キミがまなぶくんだったらどうするかな？

61

私は楽しい！ だからみんなもぜったい楽しいはず！
byまーちゃん

A面は40ページ

あ〜　今日も楽しかったな〜

ふーちゃん家でミューチューブ見たり…

カードゲームしたり

おやつ食べたり

おいしいね〜♡

私4人でいるの大好き

ミューチューブ好きだけどみんなと見るともっとおもしろいしトランプも一人じゃつまらない

うんうん　やっぱ私　4人でいるのが大好き

さて　今日は
何して遊ぼうかな

昨日は家の中で
遊んだから
外かな

にゃんころ公園に行って
ゴム段とか
なわとびもいいな

つかれたらまた
ふーちゃんの家に行って
ジュース飲んでマンガ
読んだりかな♪

よし！
決めた！

おはよーー

ねーー　ねーー
聞いて〜〜〜〜！

今日のスケジュールはね〜

Q   はどう思っていた？

まーちゃん

A

まーちゃんは
4人でいると、
すっごく楽しい。

昨日—

ねえねえ
今日も遊ぶでしょ

まーちゃん

うん　いいよ
遊ぼっ

まーちゃんは、みんなも
4人で遊ぶのを
いつも喜んでいると
思っていた。

私4人でいるの
大好き

ミューチューブ好きだけど
みんなと見るともっとおもしろいし
ボードゲームも一人じゃつまらない

うんうん　やっぱ
私　4人でいるのが大好き

まーちゃんは、
みんなを盛りあげて
楽しくしてあげようと
いろいろ提案していただけ。

おはよー

ね——　ね——
聞いて〜〜〜〜！

今日のスケジュールはね〜

考えて
みよう

4人で過ごすことに大満足のまーちゃん。
みんなも同じようにしたいことがあるとは、
まったく気づいてないみたい。
他にキミはどんなことに気づいたかな？

Q がもしもあの時こうしていたら？

A

みんなで
ミューチューブ
見ようよ

私「にゃお」
よみたい！

ヨンドビに
ゲット
したの♡

私
トランプ！

私公園で
ゴムとび
したい！

まーちゃんがやりたいことを
提案してきた時、
自分たちもやりたいことを
提案していたら、
聞き入れてくれたかも。

ん？
もーバラバラじゃん

アミダは？

ジャンケンしようよ
ジャンケン！

アミダ作るー！
おおー！

「イヤ」と感じたら、感じたその場で
あるいは後でも、なるべくすぐに
きちんとそのことを
まーちゃんに伝えて、
話し合うようにしていたら、
まーちゃんが人の話にも
耳をかたむけるようになったかも。

家に帰ったら
ふーちゃんちに
集合ね！

いつもうち
だから今日は
まーちゃんちに
しようよ

さんせ～い！

考えて
みよう

**3人がどう思っているかを伝えないと
まーちゃんはこの先も気づかないかも。
気づかなければ、遊び方も変わらないね。
キミが3人だったらどうするかな？**

65

同じできごとを
自分の側から見るのと
相手の側から見るのとでは
ずいぶんちがうね

Point **1** 自分の心を裏切らない
ために、「気持ち」を
ちゃんと相手に伝えよう。
「察して」は無理！

自分の心

さあ、ここで、
笑顔の法則を思い出して

➡「笑顔の法則」

自分の心 多様性 は10ページだよ

相手側から
考えるようにすると、
取るべき解決策が見えてくるよ！

Point 2

自分が感じたのと
同じように、相手も
感じているわけではない。
考え方や感じ方は
十人十色だ！

多様性

言いたいけど
言えないって
気持ちもよくわかるよ
そういう時はどうしたら
いいのか　この後
いっしょに考えよう

スマイルぷち知識 2

笑顔のおまじない

笑顔になるのもコツがあるよ。気持ちを切り替えるときに便利。

Let's Smile!

イー　ウー

イーの口をすると
笑顔になり

ウーの口を組み合わせることで
顔の筋力や刺激もアップ！

「イー」「ウー」のように、
い段とう段の言葉を言うと、自然に笑顔を作る体操になるよ。

たとえば、「クッキー」とか「ウイスキー」とかね！
「スキスキ　クッキー　ウイスキー」
みたいな文は笑顔になれるおまじないみたいだね。
ボクも作ってみたよ。

えっ
ウイスキーって…
ボクあと10年
お酒のめないよっ

いい天気
うきうきうさぎ
海に行く

雪ふる日
ムキムキみみずく
スキーする

ひーふーみ
ウニ寿司だいすき
ウヒヒヒヒ

笑顔のおまじない、
キミの好きな言葉を使って考えてみてね。

3章

調べてみたよ
禁句と本音
アンケート結果大公開！

うっかりでも友だちに言ってはいけない言葉があるんだ。
この章では、みんなのアンケートからそんな「禁句」をピックアップ。
全国の小学生の「友だち関係」の調査データも掲載！

番外編 の巻

なんだか相手が怒ってる 何が原因？

by ランボー

おっ 電柱！

びっくりした!!

じゃまだなー

モカは黒いなー おまえの母ちゃんも 黒いんだろー

オレは健康的な日焼けだぜ

おまえんちビンボー？ そのいつものパーカー ボロボロじゃね？

なんかきたね〜

母ちゃんに怒られて ムシャクシャしてたけど スッキリしたぜっっ！

ランボーって サイテー!!!

翌日——

ピューーン

あっ

おーい ボール取って くれよ——

コロ コロ

フン！

プイッ

なんだよっっ!!

無視すんじゃ ねーぞ!!

ふーーんだ!!

ランボーのように、「ある日、とつぜん友だちの態度がおかしくなった…」って経験、ないかな？
原因は、友だちに言ったランボーの言葉。
どんな言葉を言われると傷つくのか、調べてみたよ。

※2020年学研プラス調べ。小学3～6年生を対象にした、男女合計200人のアンケートより。

1位 見た目のことを言われた時

他の人とちがう体の特徴について言うのは、たとえ事実でも、ふざけてでも、絶対にやめよう。「背が高いね！」とキミがほめたつもりでも、言われた相手は背が高いことを気にしていて、傷ついているかもしれないよ。人はみんな、ちがっていて当たり前と心得よう。

でかい

チビ

デブ

目ちっちゃ

髪の毛チリチリ

いいな〜

また
のびた…

目が線！

脚短いね

顔がでかい

髪の毛薄いね

出っ歯

ブス

2位 家族のことを言われた時

次に多かったのが、家族のことについて。自分のことは我慢できても、家族のことを言われるとなんか恥ずかしいし、頭にくる、という人も多かった。大事な家族だからこそ、言われると心に深く残るし、傷ついてしまうんだね。

> お母さん
> ずいぶん年
> だね

> お父さん
> はげてる
> よね

> おまえの
> 姉ちゃん
> 脚　太いな

> 兄ちゃん
> って
> オタク？

> 一人っ子って
> きょうだいいなくて
> さみしくない？

> お母さん
> 外国人？
> お便り読めるの？

> お父さん
> いないの？
> かわいそう！

3位 経済的なことを言われた時

> おまえん家
> 貧乏なの？

> お父さん
> ちゃんと
> 働いてない
> もんね

> 習い事　何も
> やってないって
> お金ないんだ

> いつも
> 同じ服ばっかり
> 着てるね

> また
> お下がり？

家庭の事情で経済的に余裕がないことをバカにされたり、言われたりするのが第3位。これも言われるととっても傷つく言葉だ。

72

4位 できないことをバカにされた時

体育や音楽、図工の時など、できないことをバカにされると、傷ついてそれをやりたくなくなる、という声が多かったよ。

走るの遅い〜

絵ヘタだね

おまえサッカーヘタクソじゃん入ると負けちゃう

え？泳げないの？

5位 「くさい」「うざい」「ずるい」「バカ」「死ね」「消えろ」

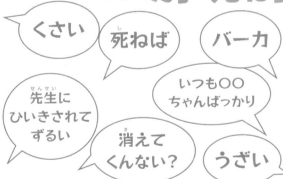

くさい

死ねば

バーカ

先生にひいきされてずるい

いつも〇〇ちゃんばっかり

消えてくんない？

うざい

女子に多かった「くさい」「うざい」「ずるい」、男子に多かった「バカ」「死ね」「消えろ」。ふざけてでも絶対言ってはいけない言葉だね。イヤな気持ちになる言葉だ。

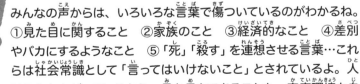

みんなの声からは、いろいろな言葉で傷ついているのがわかるね。①見た目に関すること　②家族のこと　③経済的なこと　④差別やバカにするようなこと　⑤「死」「殺す」を連想させる言葉…これらは社会常識として「言ってはいけないこと」とされているよ。人はみんなちがっているから、見た目もできることも、家庭環境も自分と同じではないってことを知っておこう。

➡ 100〜103ページのケース10も関連した事例だよ。見てね。

調べてみたよ

みんなにとって、
学校ってどんな場所なんだろう?
友だち関係ってうまくいっているのかな?
調べてみたよ。

※「平成25年度　小学生・中学生の意識に関する調査」
（平成26年7月/内閣府）を基に作成

Q あなたがほっとできる場所は?

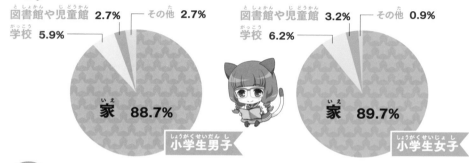

図書館や児童館 2.7%　その他 2.7%
学校 5.9%
家 88.7%
小学生男子

図書館や児童館 3.2%　その他 0.9%
学校 6.2%
家 89.7%
小学生女子

Q あなたは今の学校での生活が楽しい?

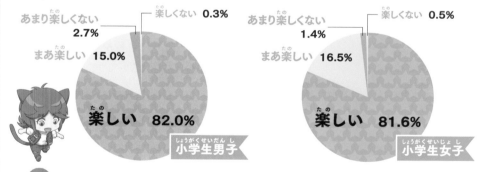

あまり楽しくない 2.7%　楽しくない 0.3%
まあ楽しい 15.0%
楽しい 82.0%
小学生男子

あまり楽しくない 1.4%　楽しくない 0.5%
まあ楽しい 16.5%
楽しい 81.6%
小学生女子

「学校が楽しい」と答えた人は「まあ楽しい」と答えた人と合わせて97%以上もいるけれど、「ほっとできる場所」として「学校」をあげた人は約6%と少ないね。みんなにとって、学校は楽しいけど、ほっとできる場所ではないということがわかるね。「ほっとできる場所」が図書館やその他の場所の人もいる。十人十色なんだね。

Q 先生との関係、うまくいっている?

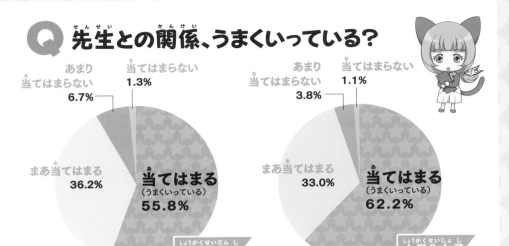

小学生男子

- あまり当てはまらない 6.7%
- 当てはまらない 1.3%
- まあ当てはまる 36.2%
- 当てはまる(うまくいっている) 55.8%

小学生女子

- あまり当てはまらない 3.8%
- 当てはまらない 1.1%
- まあ当てはまる 33.0%
- 当てはまる(うまくいっている) 62.2%

Q 友だちとの関係、うまくいっている?

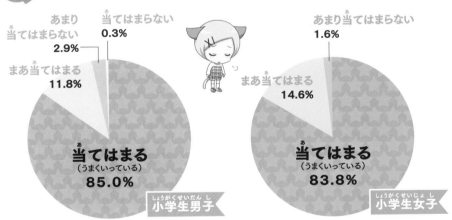

小学生男子

- あまり当てはまらない 2.9%
- 当てはまらない 0.3%
- まあ当てはまる 11.8%
- 当てはまる(うまくいっている) 85.0%

小学生女子

- あまり当てはまらない 1.6%
- まあ当てはまる 14.6%
- 当てはまる(うまくいっている) 83.8%

先生との関係がうまくいっていない人は、「あまり〜」と答えた人も含めて、男子で8%、女子で4.9%いる。
友だちとの関係がうまくいっていない人は、「あまり〜」と答えた人も含めて、男子3.2%、女子は1.6%いる。
男子の方がやや多い傾向にあるのがわかるね。日本のどこかで、キミと同じように悩んでいる小学生がいるんだね。

調べてみたよ

悩みとか、
みんなあったりするのかな？
ホントのところ、
調べてみたよ。

※「平成25年度　小学生・中学生の意識に関する調査」
（平成26年7月/内閣府）を基に作成

Q 自分の気持ちに正直に生きている？

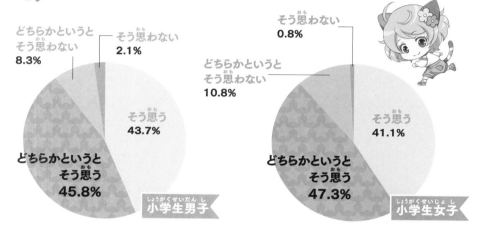

小学生男子

どちらかというと
そう思わない
8.3%

そう思わない
2.1%

そう思う
43.7%

どちらかというと
そう思う
45.8%

小学生女子

そう思わない
0.8%

どちらかというと
そう思わない
10.8%

そう思う
41.1%

どちらかというと
そう思う
47.3%

Q 人は信用できないと思う？

小学生男子

信用できない
3.5%

どちらかというと
信用できない
10.7%

信用できる
57.1%

どちらかというと
信用できる
28.7%

小学生女子

信用できない
3.0%

どちらかというと
信用できない
15.9%

信用できる
49.5%

どちらかというと
信用できる
31.6%

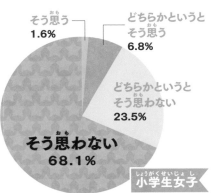

Q 人といるとつかれる？

小学生男子

- そう思う 2.1%
- どちらかというとそう思う 7.2%
- どちらかというとそう思わない 20.9%
- そう思わない 69.7%

小学生女子

- そう思う 1.6%
- どちらかというとそう思う 6.8%
- どちらかというとそう思わない 23.5%
- そう思わない 68.1%

Q あなたは悩みや心配なことがありますか？
（複数回答）

	小学生男子	小学生女子
勉強のことや進学のこと	33.2%	32.4%
友だちや仲間のこと	7.8%	17.0%
性格のこと	10.7%	11.6%
健康のこと	13.4%	10.8%
お金のこと	5.9%	5.9%
家族のこと	2.7%	3.2%
容姿のこと	0.8%	2.2%

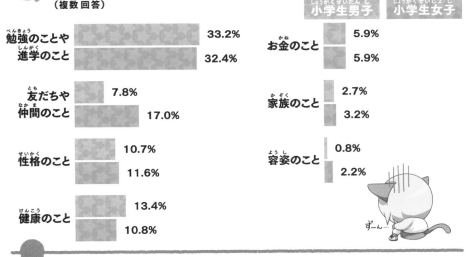

ずーん…

これを見ると、人といてもつかれない、という答えが多い中で、つかれてしまうという子も、「そう思う」「どちらかというとそう思う」を合わせると男女共に 10％近くもいることが気になるね。悩みや心配については男女共に勉強や進学のことが一番多いけれど、2番目の悩みは、女子は友だち関係、男子は健康、と差があるね。人を「どちらかというと信用できない」と思っているのは、女子の方が少しだけ多いようだね。

前のページで、友だちや仲間のことで悩んでいる人が、男子は7.8%、女子は17.0%。そこで友だちづきあいについて調べてみたよ。

※「平成25年度　小学生・中学生の意識に関する調査」（平成26年7月/内閣府）を基に作成

Ｑ あなたは今の友だちとのつきあいが楽しいですか？

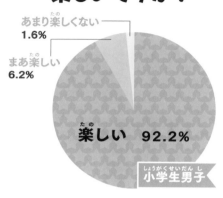

あまり楽しくない
1.6%

まあ楽しい
6.2%

楽しい　92.2%

小学生男子

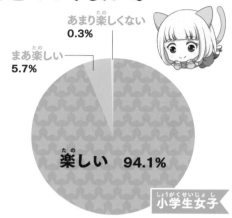

あまり楽しくない
0.3%

まあ楽しい
5.7%

楽しい　94.1%

小学生女子

Ｑ 友だちづきあいについて、当てはまるものをいくつでもあげてください（複数回答）

なんでも話せる友だちがいる
- 小学生男子 87.1%
- 小学生女子 93.8%

気の合わない人とも話すことができる
- 小学生男子 38.1%
- 小学生女子 45.1%

二人きりで仲良く話したり、遊んだりする異性の友だちがいる
- 小学生男子 34.3%
- 小学生女子 34.3%

友だちづきあいがめんどうくさいと感じることがある
- 小学生男子 12.6%
- 小学生女子 15.1%

Q 友だちから人気のある子になりたい？

小学生男子
- なりたくない 7.5%
- どちらかというとなりたくない 19.6%
- なりたい 31.9%
- どちらかというとなりたい 41.0%

小学生女子
- なりたくない 9.2%
- どちらかというとなりたくない 22.7%
- なりたい 31.6%
- どちらかというとなりたい 36.5%

Q 自分が満足していれば、人がなんと言おうと気にならない？

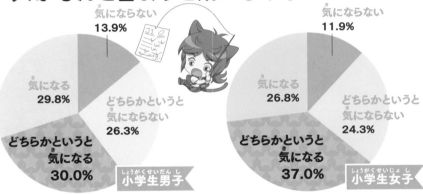

小学生男子
- 気にならない 13.9%
- 気になる 29.8%
- どちらかというと気にならない 26.3%
- どちらかというと気になる 30.0%

小学生女子
- 気にならない 11.9%
- 気になる 26.8%
- どちらかというと気にならない 24.3%
- どちらかというと気になる 37.0%

友だちづきあいが、「楽しい」または「まあ楽しい」と答えた人が、男子98.4％、女子ではなんと99.7％！ 「なんでも話せる友だちがいる」と答えた人が、男女共に90％近い一方で、「友だちづきあいがめんどうくさいと感じることがある」と答えた人も男女共に10％以上いる。

また（自分が満足していても）人から何か言われることが「気になる」人が、「どちらかというと気になる」人も含めて、男女共に約60％もいる。

みんな少なからず人から何か言われたことを気にしたり、悩みをかかえながら学校生活を送っているんだね。

※小数点第2位の四捨五入による。

表情は自分で変えられる

変えられないことではなく、変えられることに目を向けよう。

見た目のこと、体のこと、
親や兄弟姉妹のこと、
家の事情…自分で変えられないことは、
たくさんあるよね。

となりのおねえちゃん
私立中の制服
かわいいなぁ…

うちは私立ムリ…

お金ないもん…

クラスで一番小さいんだ…
もっと背が高くなりたい！

たくさん牛乳のんでるのに…

なんで!?

脚にあざがあるの…

水泳のときからかわれないかな…

夏がゆううう…

でも、自分の力で変えられることだってあるんだ。
それは「表情」だよ。

もしキミが、少しずつでも
笑顔になれたら、
その笑顔はきっと、
キミの心を幸せに
してくれるはずだ。

友だちが笑ってると
あたしもHAPPYになる！

小学生実用BOOKS
一生使えるスキルが
5分でわかる
友だち術

**友だち関係で悩んでいる
キミにはコレ！**

友だち関係のお悩み実例＆解決法について、監修の先生かつワクワクとニコニコの専門家・ジョーとトールが、いろいろな友だち関係のお悩みにも応用できる「笑顔の法則」を教えるよ！主人公は小学4年生の擬人化したにゃんころたちだけど、「友だち術」は中高生でも大人になっても一生使えるスキル。友だち関係の悩みがないキミも、知っておいて損はない。「あるある」的な身近な実例マンガでさくさく読めちゃうよ！

全国書店・ネット書店で好評発売中 ＊定価：990円（税込）

マンガ：橘 皆無

**…こんな時は
どうしたらいいの？**

**教えて！
ジョー先生＆トール先生**

いろいろなお悩みが登場！

3人といると楽しいけど たまに一人で本を読んでいたいと思う時もある

でも一人は不安…

次の時間は音楽だ 急がなくちゃ

あっ 待って

どんな悩みも解決法は一つじゃない！

ジョー先生 トール先生

クッキー

まかせて!!

キミに似た子もきっといるよッ

ああ 私はグループ分けがキライ

▲ふーちゃんは、一人になるのが怖くて、仲良しグループで行動するが…
◀一人が好きなめがねこちゃん。でもグループ分けの時だけは憂うつに…

**ワクワクのジョー先生とニコニコのトール先生が
いろんな悩みに応用できる解決法を5つ用意したよ。
キミに合う解決法がきっと見つかる！**

身のまわりをキレイにしたい キミにはコレ！

一生使えるスキルが 5分でわかる 小学生実用BOOKS 片づけ術

マンガ：阿部川キネコ

片づけられないお悩みについて、読めば5分でやり方がわかる明快セオリーを、片づけのプロ・キネコ先生が伝授！ これまで漠然と「片づけなくちゃ」と思っても、やり方がわからなかったキミも、必ず片づく実践的な指南書だ。片づけ術は身につけたら一生役立つスキルなので、子どもから親世代まで、身のまわりをきれいにしたいと願うすべての人に読んでほしい。片づけの法則をわかりやすくおもしろくマンガで解説した実用書！

全国書店・ネット書店で好評発売中 ＊定価：990円（税込）

Before ゴゴゴゴ…

After わぁ!!!

はいっ 片づけました!!

きち____ん

「片づけ」は単なる 「整とん」とはちがいます！ 「片づけ」の本質と やり方がわかる本！

キネコ先生

私がコツを 教えます

こっちは にゃんころ バージョン の私

これでは 片づけとは 言えませんね みけママさん!! プップッフ…

ええ～～～～!? 片づけって一体…!?

小学生実用BOOKS
3巻目の 5分でわかる 安心ネット術 は
2021年夏発売予定!

※全国書店・ネット書店で発売します。ぜひ予約してね!

お母さんに叱られて
「家出したい!」とツイッターで
つぶやいたちーちゃん。見知らぬ
フォロワーのかおる子さんから
「しちゃえしちゃえ!
なんならウチ来る?」と
お返事が…。

インターネットは、調べものなど、便利な面もあるけれども、個人情報がさらされたり、悪用されたりと、犯罪に結びつく危険性も高い。ネット関係のお悩みは、お悩みができてからでは手遅れだ! まずは、使う前に、安全に使うための基本的な知識やルール、マナーを知ろう。インターネットに最初に触れる小学生に知ってほしい、安心ネット術のハウツーを専門家の先生が伝授! にゃんころたちのマンガでわかりやすく解説するよ。

かおる子さん やさし〜♡
どんな人なんだろ〜

泊めてくれるって
言うし…
ホントに家出
しちゃおっかな

ちょっと
待ったー

ピピーッ!!

※左のマンガは
『友だち術』より。
内容は変わる場合
があります。

あたしたち、ぼくたちの「にゃんころの本」、
まだまだたくさんあるよ。くわしくはこちら→
https://gakken-ep.jp/extra/nyankoro/series/

動画も見てね!

学研ミリオンず

にゃんころ4コマ、「学研ミリオンず」で配信!

「学研ミリオンず」とは、学研プラスがYouTubeに開設した公式チャンネル。「最強王」や「5分後に意外な結末」シリーズなど人気コンテンツの魅力を動画でさらにパワーアップ。

https://bit.ly/3qvaic9

＊にゃんころほか、豊富なラインナップ! たとえば…
＊百人一首（百人一首の意味や背景を知りたいキミに）
＊最強王（恐竜や動物のバトルが好きなキミに）
＊レイワ怪談（怖いお話が好きなキミに）
＊5分後に意外な結末×和田雅成
（5分後とイケメンが好きなキミに）
＊ぴよちゃん（3〜6歳の弟や妹のいるキミに）
続々と新作のおもしろコンテンツを配信する予定なので、
ぜひチャンネル登録を!

ほかにも
あるよ!

にゃんころ

第一首
天智天皇

動物最強王図鑑 第1回戦 第1試合
ライオン VS コモドオオトカゲ

ベランダから見えたモノ

見てね〜!

4章

やっちゃった どうしよう!?

いけないことだとわかっていても、つい「やっちゃった！」って
時もあるよね。友だち関係が壊れるきっかけにもなる５つの
「やっちゃった」事件の例から、そんな時の対処法を考えてみよう。

や… やっちまった…

昨日の
だれだったんだ
ろうね〜

う〜ん
そうだね…

みけ

たまちゃん

昨日——

ちょっとみんな
席について

隣のクラスの
女子の体操着が
勝手に使われて
ぐちゃぐちゃに
なってたんだけど

シーーン…

心当たりのある
人いる?

先生はうちのクラスに
犯人がいると思ってるん
ですか?

ひどくないですか?

そーだ
そーだ

…昨日屋外で
体育があったのは
うちのクラスだけ

にゃんころ公園での
マラソンの授業だったでしょ
泥や葉っぱがついてたの

先生も
いっしょに謝りに
行くから
正直に手を挙げて

シーーン…

……

先生今日も
めちゃ機嫌悪かったね
だれなんだろうね

あのね…
私知ってるかも
犯人…

たぶん…

え!?

だ…
だれ!?

ちか…

キリちゃんが
隣のクラスから体操着袋を
持って出てくるのを見ちゃったって
クローバーちゃんが言ってたの

あいつか
————!!

犯人がいると
思ってるんですか?

キリちゃん

でもクローバーちゃん
なんで先生に言わないの?

告げ口になっちゃうでしょ?
それでも言った方がいいか
悩んでたみたいだけど

う～ん そうか…

クローバーちゃんが
見たこと言わないでね

確信もてないって
クローバーちゃん言ってたから…

うん
わかった

内緒よ

うん
内緒ね

83

次の日——

キリちゃん

してるでしょ！
体操着勝手に
着たのキリちゃん
なんでしょ！

なんだ？
なんだ？

ちゃんと
認めなさいよ！

なんでよ！
私何もしてないし！

ち…ちがうよ
何か証拠でも
あるわけ？

あるよ！
クローバーちゃんが
見たんだもん

ねっ
クローバーちゃん

え？

え？
クローバーちゃんが？

何見たって
言うのよ！

なんで
黙ってたの？
クローバーちゃん

キリちゃんが
犯人だー！

ち…
ちがうってば！

先生
呼んで
こいよ

84

なによ！
クローバーちゃんが
ウソ言ってるかも
しれないじゃない！

!?

てめ〜キリ！
クローバーちゃんが
ウソ言うわけない
じゃない！！

ガーン　キイッ　ルルル

はい
そこまで

先生！

キリちゃん
クローバーちゃん
放課後職員室に
来なさい　みけちゃんもね

はい！

クローバー
ちゃん…

くすん…

あ…

みけちゃん…
内緒にしてって
言ったのに

ご…ごめん！

──でも…

た…
たま
ちゃん…

しゅん…

もー　みけちゃん
なんか知らない！

85

ケース6 お悩み解決法を考えてみよう

ケース6では、謝って仲直りしたい相手が二人いるね。
それぞれの解決法を考えてみよう。

みけ

お悩み 1

内緒と言っていたクローバーちゃんの話をバラしてしまったことを許してほしい

お悩み 1 解決法

なぜ言ってしまったのか理由を話して、クローバーちゃんに誠意をこめて謝る

内緒話をバラして傷つけたことをしっかり謝ろう。ただ、自分が言ったのは、自分の正義として考えたことだと伝えよう。犯人を知って、事件がくり返されないよう、みけが正義の心から言ってしまったということが伝わると、クローバーちゃんもわかってくれるかも。

わかってくれた場合

みけが口に出してしまった理由をわかってもらえたので、信頼関係が元通りになるよう、今後は約束を破らないように気をつけて。信頼回復に努めよう。

みけちゃんらしいね

謝っても許してくれない場合

みけの気持ちはわかっても、クローバーちゃんのショックは思ったより大きかったよう。ここは少し時間をおいて、落ちつくのを待ってみよう。

ずーん…

クローバーちゃんごめんなさい…
私がみけちゃんに話したから……

クローバーちゃんごめんなさい…
あたしの正義感が発動してしまったから…

内緒話というたまちゃんとの約束を
破ってしまったことを許してほしい

みけ

お悩み 2 解決法　たまちゃんに謝って、どうすれば良かったのか話し合う

約束を破ったのは悪かったので、しっかりたまちゃんに謝ろう。

お悩み1 解決法 のように、悲しんでいる被害者に同情して悪事を見逃せなかったからだとたまちゃんに伝えたら、たまちゃんもみけの気持ちをわかってくれるんじゃないかな。

たまちゃ～ん
ごめんねっ

気をつける
からねっ

そもそも私が
みけちゃんに
話したのが
いけなかった
よね…

わかってくれた場合

二度と約束を破らないよう、みけも努力を！

もう
信用
できない！

謝っても許してくれない場合

クスン

たまちゃんのショックは思ったより大きかったよう。少し時間をおいて、落ちつくのを待ってみよう。

トールから
一言

不確かな情報は広めない

みけは自分の正義を貫きたかったんだね。その気持ちはわかるよ。そもそも、この事件、クローバーちゃんやたまちゃんも不確かな情報を確認もせずに人に言って広めてしまっているんだよね。だから、実はみけだけが反省するべき問題でもないんだ。「不確かな情報は軽々しく広めない」…これを心に留めておいてほしいな。

87

わざとじゃないけど、壊しちゃった…
by ランボー

オレ イメチェン
してみたいんだ

そうだな〜
とりあえずメガネ
貸してくれ

ランボー

イメチェン？

髪型かえる
とか？

わっ

返せよ〜

33

ひぃ〜

ランボー
目悪くないんだろ？

両目2.0！

よし次はまなぶだ

おしゃれじゃん！

あ

めがねこちゃんの
メガネかけさせて
くれよ

ぜったい
イヤ！

イヤ

めがねこちゃん

けちけちするなよ
今度『銀タマ』全巻
貸してやっからさ！

………
…ちょっとだけよ

1 4 1 - 8 7 9 0

1 0 2

東京都大崎郵便局　私書箱第67号
(株)学研プラス　幼児・児童事業部

小学生実用BOOKS 5分でわかる 友 片 係

●よろしければ、ご住所、電話番号などをご記入下さい。
(本案内が不要な方は、都道府県名とお子さまの性別、年齢のみでもけっこうです)

ご住所 〒　　　　　－　　　　　TEL

　　　都 道
　　　府 県

ハガキの
記入者の
お名前

フリガナ

お子さま
との関係

●メールによる簡単な追加アンケートにご協力いただけますか？ （YES ／ NO)どちらかに○を

●(YESの方のみ)メールアドレス

どちらかに○を
(携帯 ／ PC)

●お子さまのお名前(年齢の低い順に。この本の対象児の方の□にチェックをしてください)

フリガナ

□　　　　　　　　　　　　　　男・女(西暦　　　　年生まれ)

フリガナ

□　　　　　　　　　　　　　　男・女(西暦　　　　年生まれ)

●今後弊社から、新刊・既刊本や、ワークショップなどのご案内をお送りさせていただく場合があります。
　案内が不要な方のみ、チェックをお願いします。 ‥‥‥‥‥‥‥‥‥‥‥‥‥‥‥‥▶ □

小学生実用BOOKS 5分でわかる 友 片

小学生実用BOOKS 5分でわかる 友 片 アンケート

ご愛読ありがとうございます。より良い本作りのため、アンケートにご協力ください。
指定以外は対象読者ご本人のご意見をお願いします。

① この本のタイトルはどちらですか？　番号に〇をつけてください。
　　1. 5分でわかる友だち術　　　　2. 5分でわかる片づけ術

② あなたの性別（〇で囲む）／年齢（数字を記入）／小・中（〇で囲む）と、学年（数字を記入）を教えてください。
　性別　男　　　女　　／（　　　　　）歳　／小学・中学（　　　　　）年生

③ あなたのご意見を今後のシリーズ新刊やウェブサイトにご意見を掲載してもよろしいですか？
　　はい　／　いいえ

④ ③で「はい」の方は、ペンネームで掲載しますので（　　　　　）にペンネームを書いてください。
　　ペンネーム（　　　　　　　　　　　　　）

A. この本を買った理由に〇をつけてください。（2つ以内）
　　おうちの方が買った場合はおうちの方のご意見をお願いします。
　　1. 表紙がよかった　　　2. 興味のあるテーマだった　　3. 中を少し見てマンガが面白かったから
　　4. ねこなので面白そうだったから　　5. その他（具体的に　　　　　　　　　　　　　　）

B. この本の中で一番よいと思ったページ、企画名、よいと思った理由を教えてください。
　　企画名の書き方は、友だち術P.4-5、片づけ術P.8-9の「もくじ」のページを参考にして書いてください。
　（　　　　　）ページ　　企画名（　　　　　　　　　　　　　）
　　理由
　[　　　　　　　　　　　　　　　　　　　　　　　　　　　　　　　　]

C. 登場人物（とうじょうにゃんぶつ）の中で、あなたが一番好きなキャラクターの名前を書いてください。

D. あなたが今、一番悩んでいることや本の感想を書いてください。

E. 以下であなたが読んでみたいテーマはどれですか？　3つ以内で番号を書いてください。
　　1. 友だち　　2. 勉強　　3. 運動　　4. お金（経済を解説）　　5. 片づけ　　6. 計画の立て方
　　7. おしゃれ　　8. 英語　　9. 文章術　　10. 職業　　11. 防災防犯　　12. その他（　　　　　）
　●あなたのよいと思うもの➡よい順に（　　　）（　　　）（　　　）
　●おうちの方がよいと思うもの➡よい順に（　　　）（　　　）（　　　）
　　　　　　　　　　　　　　　　　　　　　　　　　　　ご協力ありがとうございました。

アンケートにご協力くださった人の中から毎月10名ににゃんころキャラからのお返事ハガキが届きます。
だれから届くかはお楽しみ！（応募者多数の場合は抽選。発表は発送をもって。最終締め切り:2022年2月末日消印有効）

ケース7はお悩みが二つあるね。
それぞれの解決法を考えてみよう。

ランボー

お悩み 1

めがねこちゃんに許してもらいたい

お悩み 1
解決法

心をこめてめがねこちゃんに謝る

そもそも、メガネや補聴器は大切な医療器具。短時間でも、ないと見えないし、聞こえない。貸し借りすべきものではないから、興味本位で無理やり借りたランボーの行動は、超NGだ。それを壊してしまったのだから、まずは、とにかくめがねこちゃんに謝るしかない!

この間はごめん…

これ「銀タマ」40巻分

めがねは来週できるってかあちゃんが言ってた

ドン

わかってくれた場合

良かった! 二度と軽率に友だちのメガネを借りたりしてはいけないよ。

謝っても許してくれない場合

う〜ん。仕方がない。許してくれるまで何度でも謝ろう。

メガネを弁償しなくちゃいけない

ランボー

解決法 A　かあちゃんに話して謝る

友だちの持ち物を壊してしまったのなら、同じ物を買って弁償するなど、お金がからむ。しかも、メガネは高価な物だ。お金がからむことはおうちの人に言わないと解決できないから、なるべく早く話そう。

おまえって おそはーっっっ

解決法 B　先生に話して、かあちゃんに伝えてもらう

クラスで起きたことだから、先生にはちゃんと伝えておこう。先生からかあちゃんに伝えてもらえば、かあちゃんもきちんと話を聞いてくれて、解決までのスピードも速いはず。

わかりました じゃあ 先生から お母さんに 伝えておくね

でも 自分でも ちゃんと 謝るのよ

はぁい…

まずは心から謝ろう

ジョーから 一言

まず何より相手には心から謝ることが大事だ。口先ではなく、誠心誠意謝ろう。そして、メガネを弁償するにはお金がかかるよね。そうなったら自分だけでは解決できない。そういう時は大人の力を借りるしかないので、早めに相談するようにしよう。親といっしょに謝りに行ったとしても、まず謝るのはやってしまったキミだってこと、忘れないでね。

待ち合わせ、すっぽかしちゃった…
by おわらいくん

ねえ　おわらいくん
来週の日曜日って
あいてる？

あいてるけど
なんで？

町内会で
ごみ拾いするの

え——
ごみ拾い??

うん
近くの海岸に行って
みんなでごみ拾いして
キレイにするんだ

わいわいやるから
楽しいし　お菓子とかも
出るんだよ

そうなんだ
楽しいなら
行こうかな

良かった　じゃあ
おわらいくんも来るって
伝えておくね

おっけー

日曜日の8時に
にゃんころ海岸の
1番ゲート集合だよ

日曜日——

ジリジリジリ
ジリジリジリ
ジリ…..

う〜〜〜寒い〜眠い〜
ダメだ…起きられない〜〜
行きたくない〜〜

いいや
行くのやめちゃえ

オレ一人
行かなくても
大丈夫だろうし

zzz…

92

月曜日（げつようび）

おわらいくん
なんで昨日（きのう）
来（こ）なかったの

ごめんごめん
寒（さむ）くて起（お）きられなかった

にゃんぺいくん
おわらいくんが来（く）るかもって
1時間（じかん）もずーっと待（ま）ってたんだよ

待つのは
なれてるから
魚で！

え…？

体調（たいちょう）くずしたみたいで
今日学校（きょうがっこう）休（やす）んでるんだから

おいちとした
ことが……

もう　おわらいくんのことは
誘（さそ）わないから

勝手（かって）に約束破（やくそくやぶ）るなんて
サイテー

や…　やっちまった…

93

ケース 8
お悩み解決法 を考えてみよう

ケース 8 はお悩みが二つあるね。
それぞれの解決法を考えてみよう。

おわらいくん

お悩み 1

みんなに許してもらいたい

お悩み 解決法 A　みんなに謝る

約束を破ったのはにゃんぺいに対してだけ
じゃなく、約束をした友だち全員に対して。
なんの連絡もせず、行くと約束したごみ拾
いに行かなかったことを、ひたすら謝って、
これからの行動を見てほしいと伝えよう。

許してくれた場合

今回は許してくれても、同じようなこと
をしたらさらに信用を失うよ。今後は
約束を破らないようにね。

許してくれない場合

う～ん。仕方ない。失った信用を取り
戻すのは大変だし、時間もかかる…。

お悩み 解決法 B にチャレンジ
してみよう。

お悩み 解決法 B　先生に相談する

こういう時、大人はどうするんだろう。
クラスのみんなの信用を取り戻すには、
どうしたらいいか先生の知恵を借りて
みよう。

94

お悩み 2

にゃんぺいに許してもらいたい

お悩み2
解決法

にゃんぺいの家に謝りに行く

謝るなら早い方がいい。できればソッコーでにゃんぺいの家に謝りに行こう。休んだ日に配られたプリントや宿題があれば、持っていくといいね。

ごめん にゃんぺい オレの世いで…

ガラガラ…

これ 今日出たプリントと宿題 あと 授業のノート

あれ? おわらいくん?

許してくれた場合

ずっと待っていたにゃんぺいの気持ちを二度と裏切らないよう、今後は約束を破らないようにね。

ダメだった場合

う〜ん。仕方ない。また信用してもらえるようになるまで信用を取り戻す努力をしよう。

トールから
一言

これからの自分を見てもらうしかない

人は行動を見てしか判断できない。だから、約束を破ってしまうと信用してもらえなくなるのがつらいね。でも、やっちゃったことはなかったことにはできないので、「これからの自分」を見てもらい、今後は約束を必ず守って信用を取り戻そう。それから、やむをえず約束を守れない場合でも、「遅れる」「行かれない」の連絡は必ずしよう。最低限のマナーだよ。

ケース 9 の巻

ウソついていたら、どんどん困ったことに… by シンボー

午後の体育
走り高跳びかぁ…

いやだなぁ…

シンボー

出たくないなぁ…

先生すみません
おなかが痛くて…
保健室に行って
いいですか？

あら大丈夫？
体育は
休んだ方が
いいわね

やった！ラッキー！

別の日

みけ
これ資料…

そういえば
ネズミーランドのパレード
新しくなったんだって

……

行きたいね〜
見たいなぁ〜

ボク
先週
行ってきたよ

え!?
ホント!?

どうだった？
すごかった？
写真とった？

もちろん

わー♡
写真見せて！
明日持ってきて！

ウソだけどね…

え！

う…うん…

次の日

シンボーくん
写真持って
きてくれた？

96

あ～ 写真ね…
実は母ちゃんが
デジカメをトイレに
落としちゃって
全滅なんだよね…

母ちゃん
おっちょ
ちょい
だから～

え——!? 大変じゃん!!

うん…
見せられなくて
残念

母ちゃん
ごめん…!

もうウソつくの
やめよう…

心臓に
悪い…

本当なんだよ!

なっ シンボー

おまえゆうれい
見えるんだよな!

この間窓の外に
兵隊のゆうれい
いるから外出ら
れないって…

すげーだろ

……

本当に!?
あたしの妹も
見える子でさ
今度会ってあげて!

妹の
いちごミルク

仲間が
いたってびっくり
するかも～

ウ…
ウソなのに…
どうしよう…

これは本当
↓

おなかが
痛く
なってきた…

大丈夫?

お前
おなか
弱いな

ケース9は、お悩みは2つあるみたいだけど、その根っこは
同じところからきているので、解決法は結局…。

お悩み**1**

シンボー

みんなをダマしていることが
気持ち悪い

お悩み**1**
解決法

みんなにウソだったと
正直に打ち明けて、謝る

お悩み**2** も解決できるし、心のモヤモヤもスッキリするし、これが
一番の解決法だと思うよ。

ごめん…

ウソついて
たんだ……

許してくれた場合

みんなの厚意に甘えず、もうウソはつか
ずに正直に生きよう！

許してくれない場合

みんなの信用はなくなったかもしれない
けど、正直なふるまいを積み上げれば、
また信用はついてくるよ。

シンボー

お悩み 2

みけの妹と会ったら、ウソついてたのがバレてしまう

お悩み 2

解決法 A　みけにウソだと打ち明ける

みけに正直に打ち明けてみよう。ウソをついていたことを謝り、みんなにもうウソをつかないと約束を。その上で妹には会えないと伝えてみよう。

お悩み 2

解決法 B　「ゆうれいが見えなくなった」と、さらなるウソをつく

さらにウソを重ねるパターン。とりあえずみけの妹と会わなくてもすむかもしれないけど、解決したと言えるのかな?

表面的には問題は片づいたかもしれないけど、気持ち悪さは残るよ。秘密をかかえるのはつらいからね。ボクならオススメしないな。

ジョーから一言

心のサインは体に出るよ!

ウソはバレちゃうと信用してもらえなくなるし、自分の気持ちもモヤモヤするよ。ウソをつかないのが一番だけど、ついちゃったらすなおに謝るのが何より大切なことじゃないかな。また、心のモヤモヤは体に出るよ。ストレスでおなかが痛くなったり、はいたり、体の具合が悪くなることもある。そうなる前に早めにみんなに告白しよう。

ケース10の巻

本当のこと言っただけ。なんでダメなの？ by キリちゃん

なっちゃんって
いつもボロボロの
服着てるよね

キリちゃん

家ビンボーなの？
服あげようか？

ふーちゃん
間食ばかりしてる
でしょー
だから太るんだよ

この間　雨の日
ちーちゃんの頭
爆発してた〜
火山みたいに
噴火してたの!!

ウケる！

無理してのばすからだよ

……

……

……

なっちゃん

ふーちゃん

ちーちゃん

私…
キリちゃん
大嫌い!!!

私も！

私も！

私も！

私も─!!

よし！　あたし
言ってくる！

100

なんで人を傷つけるようなことばっかり言うの？

なんで傷つくの？私は本当のことしか言ってないよ？

自分が言われてイヤなことは人に言わない方がいいよ

私は正直に言ってもらった方がうれしいけどな

気づかいは大切だよ

どこがよ！

気づかってるつもりだけど？

だったらもう少しやさしく言えない？

は？意味わかんない

……

……

おてあげ

……

101

ケース10の解決法は、二つ考えられるね。
キミならどんな解決法を選ぶかな？

みけ

お悩み

キリちゃんに、人が傷つくようなことを
言わないようにしてほしい

解決法 A

世の中にはいろんな人がいるよ。
人として、マナーとして、
「言ってはいけないこと」がある。
これを言ったら
"一発レッドカードで退場！"と、
キリちゃんにはっきり伝えよう！

> くわしくは
> 70〜73ページも
> 見てね

ピーッ

レッドカード！
退場！！

"一発レッドカード"の言ってはいけないこと

● 人の見た目に関すること
● 差別的、バカにするようなこと
● おうちの経済的なこと（お金のこと）
● 人の家族のこと
● 「死」「殺す」を連想させる言葉

※ケース6（82〜85ページ）参照

えーッ
なんでよ！！

発剣してないよ！
私は正直に言った
だけだよ？

体操着のときだって
朝に貸してって言ったのに
相手が忘れて
たんだから！！

私、悪くないもん！

クラスの問題として みんなで話し合いをしよう

キリちゃんに言っても伝わらず、それでもイヤなことを言い続けるなら、先生から話してもらおう。そして、クラスの問題としてみんなで話し合いをして、「言ってはいけないこと」だと伝えたいね。

みんなはどんなことを言われたらいやかな？

私は背が高いこと……

デカ！

太ってること……

デブ

運動が苦手なこと…

どんくさい

背が低い……チビ 色が白い…

チビ

勉強が苦手なこと…

バカ

本名がかっこわるいこと…

ヘンな名前

トールから一言

人として、 「言ってはいけないこと」があるよ

本当だからと、なんでも言っていいわけじゃないよね。世の中にはいろんな人がいて、その「ちがい」について、言うのがタブーとされるものがあるよ。こうしたことを知っておくのも大事だけど、相手の気持ちを思いやれば、自然とひどい言葉は出なくなるもの。言われた相手の気持ちを想像しながら話をするように心がけよう。

だれにでもミスや失敗は
あるよね。
"やっちゃったー"
というできごとはだれにでも
起こりうるもの。

Point 1　まず謝る。
心から謝る。

Point 2　信用を失うことをしたら
仕方がない。
一つひとつ、また
信用される行動をして
その行動を見てもらおう。

ただ、大事なのは
やっちゃった後に
どうするか。
大事なことは大きく3つ。

Point 3 お金がからむことは
子ども同士で
解決できない。すぐに
信頼できる大人に
相談を！

先生や
おうちの人にね！

ごまかそうとすると
かえって
信用をなくすことに
なるよ

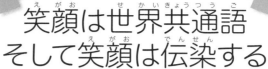

笑顔は世界共通語
そして笑顔は伝染する

心からの笑顔は世界共通の言語だよ。
言葉はなくとも通じあえる、それが笑顔の力。だから、伝染する作用もある。

悲しい映画を見て涙が出たり
おもしろいお笑い番組を見て元気が出たり
怒っている人を見てなんとなくイライラしてしまったり
そんな経験あるかな？
「感情」は伝染すると言われているんだ。
でもね
つらい時はつらいと言っていいんだよ。
少し落ちついたら、
笑顔は伝染するってことを思い出してくれたらいいな。

笑顔の先にあるのは　自分自身を「感じ取る力」
友だちや家族に「共感する力」
感性が豊かになって、それがキミの力になることを
ボクたちは信じているよ。

5章
クラスの中って難しい

十人十色、クラスメートの数だけちがった個性がぶつかるからこそ起こる友だち関係のお悩み。いろいろな角度から見られるようになるといいね。そんな例を挙げたよ。

ああ
私は
グループ分けが
キライ…

社会科見学…
行きたくないなぁ〜

はぁ〜…

クラスの皆さんと話が合わなくて浮いてしまいます by きらきらちゃん

きらきらちゃん

今日のお洋服ステキね

本当だ かわいい～

かっこいい～

これね　お父様がフニャンスで買ってきてくれたの

10着ぐらいあるの

ニャルメスってブランドなのよ

お気に入りなの♡

へ…へぇ～

た…高そ――…

みんな休みの日何してた？

ふーちゃん家でゲームしたの

楽しかったね～

きらきらちゃんは？

ニャメリカ大使館でパーティーがあったの

Lady NyaNyaとか人気歌手も来てね

すごーい!

そうそうあいみゃんと写真をとったの

みたい？　みたーい!

……

きらきらちゃんってさぁ

なにげに自慢するよね

なんかハナにつくんだけど

お金持ちのお嬢様だからかな

109

ケース 11 は何が原因だか、自分では気づかないケース。
こういう時はどうしたらいいのかな。
キミならどんな解決法を選ぶか考えてみよう。

きらきらちゃん

お悩み

みんなが自分のことをさけていく。仲良くしたい。

解決法 A

なっちゃんが怒った時、自分が何を言ったのかを振り返ってみる

自分が言った言葉で怒ったのなら、その言葉にヒントあり！ その言葉を言った時、「どういう状況だったのか」「どういう意味にとったのか」など、相手の立場を想像してあれこれ考えてみよう。自分では気づかなくても、相手には怒った理由が必ずあるはずだよ。

うちはビンボーでシュシュ買えないから手作りなの！

あんなイヤミ言わなくてもいいじゃない！

あねーちゃんおなかすいたー

原因がわかったら…

これからどんな態度で接すればいいかが見えてくるよね。相手の気持ちを意識した言動を心がけよう。

原因がわからない場合は…

自分の言動を書いて、クラスの他の友だちの意見を聞いてみよう。それでも原因がわからなければ **解決法 B** へ！

解決法 B

信頼できる大人にアドバイスをもらう

クラスの他の子は問題点に気づかなくても、大人の目から見るとわかることもあるんじゃないかな。オススメは親や担任の先生。きっと何が原因なのか、気づけると思うよ。そして、こういう時にどんな対応をしたらいいか、適切なアドバイスもしてくれるんじゃないかな。

解決法 C “自分らしく”を大切に！
自分を変える必要はないよ

キミが、周りの人とちがっていることが原因だとわかったらどうするのか。みんなに合わせよう、とけこもうとするのも良いことだけど、自分を無理に変えてまで合わせる必要はないよ。そのままのキミをわかってくれる人は必ずいるはずだ。

おじょうさま
何を着ても
お似合いです

なんだか
軽くて
気持ちいい

着ごこちバツグン
ユニャクロの
グレーのピモの
スエット

ウフッ ♪

ジョーから
一言

「自分の環境が恵まれているのかも」という視点をもとう

自分らしくしていても、人からねたまれたり、しっとされたりすることがあるよ。きらきらちゃんは、自分のお家がお金持ちで、恵まれた環境であることを当たり前だと思わない態度や発言を心がけたら、みんなとも仲良くできるんじゃないかな。
こんな会話例をみてみよう。

A 「すごい！ テスト、4枚とも100点なんて！」

B 「塾でやったし。そんなに難しくないし、
　　このくらい普通でしょ」

Bさんにとっては、テストが4枚とも100点なのは当たり前。でも、4枚とも50点以下だったAさんが聞いたら、どう思うかな。
才能、容姿、家の経済状態など、キミが生まれつき持っているものや、また音楽やスポーツなどで、たとえ努力して得た能力であっても、相手にはどう見えるのか、「自分は恵まれているのでは?」という視点をもてるといいね。

ケース12の巻

みんなから「先生にひいきされている」と言われます by モカちゃん

モカちゃんは
ひいきされてて
いいよね〜

キリちゃん

にゃん子先生
モカちゃんの言うこと
ばっかり聞くんだから

モカちゃん

そんなこと
ないと
思うけど…

なんだ？

なんだ？

私の言うことなんか
全然聞いてくれないもん

キリちゃんの
言ってることが
おかしいからじゃない？

先生のスパイ
してるからでしょ！
だからひいき
されているんでしょ！

先生側の
人間だな！

うらぎりもの！

そーだ
そーだ

おまえがいろいろ
先生に告げ口してるんだろ！

確かにモカちゃんは
女スパイみたいな雰囲気だけど
先生のスパイなんて
するわけない
じゃない!!

スパイ スパイ

先生のお気に入り〜

み…
みけ
ちゃん…

ひいきだ
ひいきだ

ずりぃー
ぞー

112

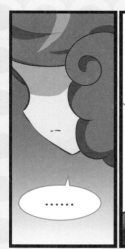

もし私が先生に気に入られてるとしたら…

それは…

私がにゃん子先生のことを大好きだからじゃないかな

にっこり

わ…私だって先生のこと大好きよ！

オレだって!!

やさしいし！

よく見れば美人だし！

私も好き！

私も！

オレだって!!

私もみんな大好き!!!

ガラッ

にゃ…にゃん子先生!?

そういうとこだぞ…モカちゃん

113

ケース12
お悩み解決法を考えてみよう

ケース12は、モカちゃんの機転で解決しちゃったけど、
こんなふうにうまくいかない場合もあるよね。
これがダメなら次、そしてまた次と、
どんどんチャレンジして解決法を探っていこう。

モカちゃん

お悩み
「先生にひいきされている」という
誤解を解きたい

解決法 A
クラスのみんなに、どうしてひいき
されていると思うのか聞いてみる

ある日のクラスで…

インタビュー

外国から学校に
お客さまがきたとき
モカちゃんだけが
呼ばれたんだから

モロ
ひいき
でしょ!!

いつもモカばかり
給食の先生とにゃん子先生と
3人でしゃべってる!

この間にゃん子先生が
プリントもってってて
モカだけに話しかけててさ

オレだって
給食の
先生と
話したい!!

オレも
いたのに!

キリちゃん

「手伝ってほしい時はモカちゃんに声かけるし、
モカちゃんが言うことは、すぐに聞くじゃん!」

みんなが「ひいきだ」と言ってる理由がわかったら… **解決法 B** をやってみよう!

なぜ、その言動をとったのか 説明する

理由がわかれば、みんなの誤解も解けるはず。きちんとみんなに説明しよう。

Guess what!

うちはママが外国人だから私、英語がペラペラなの

Trust me.

and

うちはカフェやってるからときどきパパが給食の先生のメニューの相談にのってるの

Got it?

プリントはなんでかな？

I'm not sure why.

みんなが納得した場合

良かった！もう誤解されないね！今後のためにもぜひ 解決法C もやっておくといいかも。

モカちゃんしっかりしてるからついつい頼んじゃうの通訳もできるし…

ごめ〜んシンボーには気付かなかった…

うっかり

みんな、平等に愛してる！

先生気をつけるね！

納得しなかった場合

う〜ん。では、 解決法C をチャレンジ！

解決法 C 先生に相談する

「ひいきされていると言われるので、先生も周囲を気にしてほしい」と先生に伝えよう。先生も気づかずにやっていたりするので、みんなが納得した場合でも伝えてOK!

トールから一言

みんなが「ひいき」「ずるい」というのは「公平じゃない」と感じる時

このケース、モカちゃんは何も悪くないよ。まわりの子たちがひがんでるだけだよね。「ひいき」「ずるい」と言われるのは、イヤな気持ちになるよね。そう言われる時は、原因を探れば誤解も解けるはずだよ。

友だちがいないって思われたくなくてちょっぴり無理してる by ふーちゃん

ふーちゃ〜ん

早く早く〜〜

ごめ〜ん

おっ地ひびき
すごいぞ〜
地震かぁ〜

横ゆれ〜〜〜

ドン！

わ〜

こいつキライ

太ってても

動きはキビンよ！

は、

は、

は、

ふーちゃん　おもしろーい!!

エへへ…

ふぅ……

……

116

3人といると楽しいけど　たまに一人で本を読んでいたいと思う時もある

次の時間は音楽だ　急がなくちゃ

でも　一人は不安…

あっ　待って

私太ってるし一人だとだれも相手にしてくれないし…

ふーちゃーん

笛…笛…

早く——

は…はーい

あった!

3人はかわいいから私は浮いちゃってる…

音楽 4

私…笑われていないかな?

友だちがいないみたいに思われるのはイヤ

楽 4

でも…一人でも平気なめがねこちゃんがちょっとうらやましい…

私?

オレとお笑いのコンビくまへんか?

いや!!

ケース13
お悩み解決法 を考えてみよう

ケース13も、これがダメなら次、と順番に試しながら、解決法を探っていこう。

ふーちゃん

お悩み

一人でいると友だちがいないと思われるんじゃないかと不安

解決法 A
他の人の考えや気づきをもらう

周りが自分をどう思うかなんて、自分一人で考えていても本当のところはわからないよ。あれこれ想像するより、他の人の意見を聞いてみよう。たとえば友だちやスクールカウンセラーの先生に相談すれば、他の視点からの公平な考えをもらえて、気づきもあるんじゃないかな。

スクールカウンセラーの先生

解決法 B
めがねこちゃんに 一人で不安じゃないか聞いてみる

「一人でいるのは好き」と明言しているめがねこちゃんに意見を聞いてみよう。ただし、いつも一人でいる子が「一人が好き」とは限らない。キミがこの解決法を試す時には、人選は慎重に。

ひとりでいるの楽しいよ

みんなとわからないアイドルの話しなくてすむし

まさむにゃ様の本を読んだり

お話考えて妄想したり

ぜんぜんさみしくない！

解決法 C　ときどき一人で過ごしてみる

本読むの好き♡

思いきって、ときどき一人で過ごすことを試してみよう。みんなの反応を見ながら、少しずつチャレンジしてみるといいよ。

解決法 D　今まで通りに4人でいる

ふーちゃんは3人のことをキライじゃないから、これまで通り、4人で行動するのもあり。ただ、グループにいることがストレスなら、解決法 A〜C を試そう。自分の心を裏切り続けると、体調を崩すこともあるよ。

ジョーから一言

「ありのままの自分でいい」と自分を認めてあげよう

ふーちゃんのように「グループに入っていないと不安」と感じる人、けっこう多いんじゃないかな。それは自分に自信がない、難しい言い方をすれば、「自己肯定感が低い」ことが原因かも。「私なんて」と、自分のことを価値がないと思っていないかな。自己肯定感を上げるには、キミがキミ自身を認め「ありのままの自分でいい」と思うことが重要だよ。問題はその方法。好きなことや得意なことがあれば、それに打ち込んでみよう。とくにない人は、たとえば、海や山へ行く、星空を見るなど、大自然に身を置いてみると考え方が変わるかも。キミに合った方法で自分を好きになれるといいね。

星から見たら私もあの子もみんなちっぽけね

ケース14の巻

グループ分けがキライ…
by めがねこちゃん

私はグループ分けが
キライ

なぜなら
一人が好きだから

めがねこちゃん

人に合わせるのニガテだし
気をつかうのも
つかわれるのも疲れるだけ

グループの中でどうふるまったら
いいのかわからない

自分を出そうものなら
みんな引くみたいだし

めがねこちゃん
よくわからない…

ペラ
ペラ
ペラ
ペラ
ペラ

やっぱり戦国時代の
萌えポイントは
ずばり主従関係ね！

この武将は
マイナーだけど
お館様の蝶…

敵対する
武将へのリスペクト
礼節をおもんじる
厚い信頼

一人が
楽…

♪

戦国猫武将
図鑑

戦国

これから
社会科見学の
グループ分けを
します

4人ずつの
グループを作って
ください

うっ…

来たか…！

はーーい

私から「入れて」とは言えない…
イヤがるかもしれないもん

……

グループ
できたかな？
グループで
集まってみて

──で仲良くもない
あぶれ者同士の
寄せ集めになる…

ガク

ああ
私は
グループ分けが
キライ…

社会科見学…
行きたくないなぁ〜

はぁ〜…

ケース14 は、お悩みは二つあるようだね。
順に解決法を探っていこう。

めがねこちゃん

お悩み**1**

どう思われるかこわくて、
自分から「入れて」と言えない

お悩み**1**
解決法A

ふだんから友だちに
「グループになる時はさそってね」と
声をかけておく

学校生活では「グループに分かれて」と言われることはときどきあるもの。ふだんから、「この人なら話しやすい」と思える友だちに、あらかじめ「グループになる時はさそってね」と声をかけておこう。友だちがさそってくれたら、キミも入りやすいよね。

さそってくれた場合

良かった！　ふだんからの声かけ作戦は功を奏したね。次からも声かけしよう。

さそってくれなかった場合

声をかけてから時間が経っていると、友だちも忘れてしまっているかも…。

お悩み**1**
解決法B
をチャレンジ！

いれて…

お悩み**1**
解決法B

勇気を出してみる

お悩み**1**
解決法A
で相談した友だちならば、キミの姿や何か言いたそうな様子で気づいてくれるかも。それでも気づいてもらえない時には勇気を出してグループに入れてほしいと言ってみては？

めがねこちゃん

グループの中で、どうふるまったらいいのかわからない…

お悩み2
解決法A

自分を出しやすい相手がいるグループの中で、ちょっとずつ自分を出してみる

「本当に自分はグループの中で受け入れられていないのかな?」ちょっとずつ行動を起こしてみて、反応を確認していこう。まずは自分を出しやすい人からやっていくのがオススメ!

お悩み2
解決法B

他の人はグループの中で、どんなことに気をつかっているのか観察したり聞いたりしてみる

お悩み2
解決法A

を試して、周りの様子がわかったら、この方法を試してみよう。自分ができそうなことがあれば、どんどんやってみよう。

トールから
一言

受け入れられていないと思っているのは、自分だけでは?

みんなから声がかからないのは、さみしいよね。でも、それはどうしてなのかな? 逆に「声をかけてほしくない人」と思われているのかも。受け入れられているのかどうか、ちゃんと確かめると、安心して「入れて」と言えるんじゃないかな。

ケース **15** の巻

先生に告げ口する奴ってサイテーなの？
by にゃんぺい おシャムくん

にゃんぺいは
悩んでいた
——…

おシャムくんも
悩んでいた
——…

はぁ

はぁ

ヒヒヒヒ…

数日前——…
人気のない放課後の教室で
2つの影を見てしまったからだ

その翌日
事件は起きた——

私のキーホルダーが
ない!!

大切にしていた
キリちゃんのお気に入りが
なくなっていたのである

どうしたの？
キーホルダー
なくしちゃったの？
家に忘れた
んじゃない？

そんなことない！
このピアニカケースに
ずっと付けてたの！

ロッカーに
入れてたんだもの！

だれ!?
だれが盗んだの!?

私たち
盗ってないよ

ひどいよ!
返してよ!!

それから
キリちゃんは
ずっと泣いていた

あのキリちゃんが
泣くなんて…

さすがに
かわいそう…

次の日から
キリちゃんは
学校を休んだ

職員室

キリちゃんが学校に
来なくなってから
2日目—

ちょっと二人とも
先生について
きてくれる?

125

え!?

なななななななっなっ
なんでついていかなくちゃ
いけないんですか?

なんで
かな〜

それを先生は
聞きたいんだけど

犯人確保

にゃんぺいくん
元気ないね

おシャム

…おいらがさ
あの二人のことを
先生に告げ口
したんだ

告げ口するなんて
サイテーだよな

キリの物を盗む
あの二人を見たんだ

正直黙っていようか
迷ったけど…

126

キリがキーホルダーを
大事にしてたの
知ってたし

ママと
手作り
したの♪

おし花入りの
レジンの
キーホルダー♡

わー
キレイ！

キリちゃん
上手！

大切なものを盗るなんて
許せなかったし…

おいらも竿盗られたら
ショックだもん

告げ口したことを知って
おいらに何かしてくるかもって
思ったけど…

直接二人に
言う勇気もなかったから

はぁ～…

…にゃんぺいくんは
勇気があるよ

だれかがなんとかしてくれると
思って無関心を装う方が
サイテーだよ

見て見ぬふりをするのは
一番いけないもの

サイテーなのは
ぼくだ…

おシャム？

ぼくもあの二人を
見かけていたんだ

でも
黙っていた…

にゃんぺいくんは
強いね

…おシャム
おまえやっぱり
かっこいいな…

お前が
モテるのが
わかった気が
する……

かっこいいのは
にゃんぺいくんだよ

それにこれは
告げ口ではなく

通報だよ通報

だなっ

その後
キリちゃんは学校に
来るようになり
いつもの辛口
キリちゃんに戻った

やられたらやり返す!
倍返しだ!!

もどった

それにびくつく
二人と

ゲッ

あやまっても
ゆるせないものは
ゆるせない!!

釣り行くか?

いいね行こう

おシャムく〜ん

仲良くなった
にゃんぺいと
おシャムくんがいた

128

ケース15
お悩み解決法を考えてみよう

ケース15は、お悩み一つと、もしも…のケースのお悩み解決法を考えてみたよ。キミはどの解決法を選ぶかな？

にゃんぺい おシャムくん

お悩み

見てしまったことを言うのがこわい。だけど、黙ったままもモヤモヤする…

解決法 A

その方法を選んだのは、そこに守りたいものがあったから。まず、選んだ方法はまちがってないと、認めよう

自分の心

…おいらがさあの二人のことを先生に告げ口したんだ

告げ口するなんてサイテーだよな

言うのがこわくて黙っているのも、先生に言うのも、両方まちがってはいないよ。キミの心がそう言っているから、正直に行動したまでのこと。まず、自分のことを認めてあげよう。

ぼくもあの二人を見かけていたんだ

でも黙っていた…

解決法 B
先生に相談する

傷ついた人もいるので、そのままにしてはおけないね。クラスのことは先生に相談するのが大切。本当のことを告げて、対応してもらおう。

キリの物を盗むあの二人を見たんだ

正直黙っていようか迷ったけど…

にゃんぺい おシャムくん

「告げ口した」と周りから責められたら…

解決法 A 「傷ついた人がそのままになる方がイヤだ」と、責める人に伝えよう

見て見ぬふりなんてできない

苦しんでいる子を救えるかもしれないのに

告げ口っていうけど、そのままうやむやになっちゃったら、かわいそうなのは盗られた子だよね。その方がもっと悪いと、告げた理由を話して、みんなだったらどうすれば良かったのかたずねてみよう。他の手段が聞けるといいよね。

相手が納得した場合

良かった！ 相手もキミの行動を理解してくれたね。

納得しなかったら…

解決法 B 気にせず、自分がしたことに自信をもつ

相手がわかってくれないのは残念だけど、キミは良いことをしたんだから、自分の行動に自信を持とう。

「告げ口じゃなく、通報だ」と言ってみよう

ジョーから
一言

告げ口したと責められるのもイヤだけど、放っておいて、傷ついた人がそのままになるのもイヤ。でも、おシャムくんが言ってたように、「だれかがなんとかしてくれる」と思うと、何も解決しないよ。周りに何か言われたら、「告げ口じゃなく、通報だ」と、明るく言ってみよう！

130

5章 まとめ

クラスの中って
いろんな人がいるから、
友だち関係の悩みは
つきものだね。
そこからわかったことは
大きく3つ！

Point 1
うまくいかない理由は
何なのかを調べる

Point 2
相手は変えられないので、
「自分にできることは何か？」
を考える

Point 3
自分一人で解決できない時は
信頼できる大人を頼ろう
とくにクラスの中のことは、
先生にまず相談を！

相談相手は信頼できる大人に

っていうけど
「信頼できる大人」って
いったい だれのこと?

それはね
人によってちがうよ
みけちゃんの場合を
考えてみようか

担任の先生

お父さん

ママ

たまちゃんのママ

おじいちゃん
おばあちゃん

スクールカウンセラー
の先生

保健の先生

柔道の先生

児童館の
職員さん

隣のクラスの先生

校長先生

副校長先生

みけちゃ〜ん

ぼくなら…
にゃん子先生
お父さんお母さん
のほかに

学習塾の先生
保育園の先生
お父さんの友だち

まなぶくーん

私なら…
私の趣味に
理解がない
お母さんには
言いたくない

図書の先生

おばさん
お母さんの妹

お母さんの友だち

マンガ好き
アニメ好き

こんなの
スキなの?

ただの
線じゃない

日本史

人によって信頼できる大人はちがうよね。
お父さんお母さんに悩みを話しやすいという人もいれば、
担任の先生や隣のクラスの先生や保健の先生の方が
話しやすいという人もいる。

大切
なのは

キミの考えで判断すること。
キミの話を真剣に聞いてくれる人はだれかな?

私に
相談して〜

まわりに「信頼できる大人がいない!」
というキミは… 148ページを見てね!

絶対NG 相談相手はインターネット

スマホ 買ってもらっちゃった！

ツイッターしよっと♪

ちーちゃん
@chi-cyan

ツイッターはじめました！
アイドルになるのが夢

にゃんころ町
誕生日

ある日——

もーーー!! アンタって子は、なっちゃんにヒドイこと言ったんだって!?

ガミガミ

しゅん

しーん…

今日お母さんにすっごく怒られた…

もう家出したい！(>_<)

タタタ

ピロリン♪

あっ いつも"いいね"してくれる"かおる子さん"だ！

今日お母さんに怒られた…もう家出したい！(ﾉ ﾉ)

かおる子 @kaoruko
返信先:@chi-cyan
しちゃえ！しちゃえ来るなんならウチ来るちーちゃんなら

え!? やったあ！

かおる子さん やさし〜♡どんな人なんだろ〜

泊めてくれるって言うし…ホントに家出しちゃおっかな

ピピピー

ちょっと待ったー

134

SNS（エスエヌエス）

ツイッター
フェイスブック
インスタグラム
LINE（ライン）　You Tube（ユーチューブ）
Tik Tok（ティックトック）
を含む

インターネット上で
知り合った人と実際に会うのは **キケン！**
ゼッタイやめよう!!

相談相手は顔の見える相手に!!

え〜　どうして？
会ったことはないけど
とっても親切そうな
いい人だよ〜

コメントみると
やさしい
女の人みたい
だし……

その人が本当に
信頼できる人かどうかは
SNSのやりとりだけでは
わからないよ
性別だって年齢だって職業だって
ウソかもしれないよ

ならSNSだけで
相談してもいい？
会わなきゃ
大丈夫でしょ？

**いや！ダメ！
絶対NG（エヌジー）！**
ネット上の相談は
キケンだよ！

いろんな
リスクが
あるよ

イタズラ
されたり

ゆうかい
されたり

知らない人のほうが
はなしやすいのも
あるし…
ホントにいい人
かもしれないし…
…ダメ？

絶対ダメ！
いろいろ理由が
あるから別の本で
説明するよ！

ただし　顔を知らない
相手でも148ページで紹介
している専門家による
電話相談なら安心だよ

相談相手は顔の見える人に

※ネット上の相談がダメな理由について、詳しくは続巻『5分でわかる安心ネット術』(159ページ下)を見てね！　**135**

もしもキミが友だちから相談されたら…

信頼できる大人に相談しよう、とオススメしたけど、友だちに相談したい、もしくは相談された、って場合もあるよね。

もしもキミが同じクラスにいる友だちとの間でトラブルがあって、それを「解決したい」と考えているなら、同じクラスの別の友だちに相談するのは、ボクはオススメしないよ。なぜなら、左のマンガみたいになりがちで、むしろ悩みは深まってしまうことが多いからだ。

ただ、友だちに相談することによるプラスの効果もあるよ。悩みを吐き出すことで、気持ちが軽くなる効果だ。キミが友だちに悩みを相談されたら、下に示した3つを守ってね。キミが黙って悩みを聞くことで、悩んでいる友だちの心が少しだけ軽くなるかもしれないよ。くれぐれも「自分がなんとかしてあげよう」と相談相手の気持ちに反して動かないこと。

ちーちゃんには言わないでね…

絶対ちーちゃんには言わないよ

実は…

秘密は守るから

よーし！

私が解決してあげる

まかせて！

大事な二人のためだもん！

あのね　友だちの友だちの友だちの話なんだけど〜

こんなことがあってね…

あーだ

こーだ

気になってあげたいんだ〜

ああ…なっちゃんのことね…

バレバレ

真剣に聞いて共感する　**大切！**

他言はしない

解決しようとして自分が動かない

後日

ちょっと！言いたいことがあるなら直接言ってよ！

な…なんで知って…

はっ

まーちゃん…!?

まかせて！

私がちーちゃんに言ってあげる！

やめて──言わないで

じゃあ先生

解決方法を決めるのは当事者!!

先生もだめ

ちーちゃんにひどいこと言われたの…

そうなんだ…

つらいね…

ほっ

6章

そもそも友だちって なんだろう？

ここまで友だちとの悩みをいろいろ考えてきたけど、
そもそもキミにとって、「友だち」ってどんな存在？

はーい、質問です！

Q みけにとって、友だちって何かな？

え〜？

ん〜…

まて━━━！！

おわらいくん

まいも勝ちやで〜

やーだよっ！

ときどき
ケンカするけど、
すぐ忘れちゃうし

どうだった？
すごかった？
写真とった？

もちろん

いっしょに
いると
楽しい！

たまちゃ〜ん
ケシゴムかして〜

2コあるから
いいよっ

困った時は
助けてくれる…

A

うん
うん

毎日が
楽しくなる
そんな存在！

138

キミはどうかな？

Q たまちゃんにとって、友だちって何かな？

えっと　　　　　　　　　　　　　ん〜...

ママやパパに話せないことも言えるし

でもクローバーちゃんなんで先生に言わないの？

告げ口になっちゃうでしょ？それでも言った方がいいか悩んでたみたいだけど

う〜ん　そうか...

ときどき振り回されると、つかれるけど…

みけちゃん…内緒にしてって言ったのに

ご…ごめん！

　　　　　　—でも…

もー　みけちゃんなんか知らない！

よし！あたし言ってくる！

......

とても頼りになるっていうか…

A

いると安心できる心の支えかな

キッパリ

139

Q めがねこちゃんにとって、友だちって何かな？

そうねえ

友だちっていうけど、いろんな人がいるよね。みんな一人ひとりつきあい方、ちがうし…

いると楽しいけど、いなくても平気っていうか

仲良さそうでも悪口言ったりしてるし…

A

よくわからないけど、一人でいるのとはまたちがった時間が過ごせるかな？

う～ん

う～ん

キミはどうかな？

Q J1にとって、友だちって何かな？

えっ？　　　ん～…

一人よりみんなといる方が楽しいじゃん

いるのが当たり前っていうか、いつもいっしょ

好きとかキライとかっていうより、「仲間」かな…

そうだなあ…

A

親やきょうだいともちがうまた別の大切な存在かな

では、次の質問

Q 友だちって、多い方が幸せ？

おシャムくんの場合

多いけど…

わいわい　わいわい

昨日のN-1グランプリ見た？

あっ…まだなんだ録画したから

帰ったら見るよ

勉強中

ろくががたまってしまった…

はぁ〜
なんかつかれた…

ふぅ…

バイオリンの練習しなくちゃ

おシャムくんヒゲニャン好き？歌える？

え!?

おシャムくんとカラオケしたい♡

勉強中

むずかしっ

うたえないっ

どうかな？

めがねこちゃんの場合

少ないけど…

みんな外遊びが
好きなのね

ワーワー

今月のおすすめの本

めがねこちゃんも
ドッジやる？

たのしいよ

ううん
私はいい

本よんでるから

OK!

だって一人で過ごすの
好きだし

こっちのほうが
楽しい

ああ
幸せ

大親友は
いないけど

話すのが楽しい子
もいるし

気にかけてくれる
子もいる

私は今に
満足しているの

友だちがたくさんいても、
さみしさを感じてる人もいれば、
少なくても
満足している人もいる。

友だちって、
人数は関係ないのかも
しれないね。

大切なのは、
自分の時間をどう過ごすか。
だれといっしょにいると
楽しいのか。
自分の心に聞いてみよう！

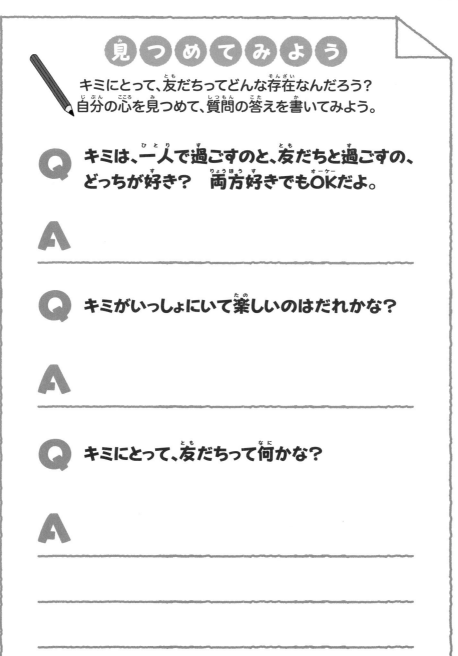

見つめてみよう

キミにとって、友だちってどんな存在なんだろう？
自分の心を見つめて、質問の答えを書いてみよう。

Q キミは、一人で過ごすのと、友だちと過ごすの、
どっちが好き？　両方好きでもOKだよ。

A

Q キミがいっしょにいて楽しいのはだれかな？

A

Q キミにとって、友だちって何かな？

A

要点

友だち関係の
悩みを笑顔に変える…

笑顔の法則 その1

一番の親友は自分 まず

自分の心を裏切らない 心友

人はだれでも必ず一人の
友だちを持っているよ。
それは「自分」。

ぜったい裏切らないし、
悪口なんて言わないし、
いつも寄りそってくれる。

自分の心

…「笑顔の法則」は たった 2つ

笑顔の法則 その2

十人十色

多様性を認めよう

十人いたら十色の個性があるよ。
十色の中にキライな色があっても仕方ない。
ただし、キライな色、
キライな友だちを否定しないで。
そういう人が「いる」ことを認めよう。

人はみんな同じじゃないから
感じ方も行動もちがうし、
友だちとのかかわり方も
人それぞれ。

多様性

147

まずは「助けて」と声をあげよう

悩める子どもと保護者などの相談窓口だよ

いじめで困ったり自分の友だちの安全に不安があったら一人で悩まず電話で相談！

自分のコトでも友だちのコトでもいいんだよ おうちの方が相談してもOK！

知らない大人の方が話しやすい…というキミにもおススメだよ

SNSは絶対ダメ！

いじめや暴力で悩んでいる人へ

いろいろ相談できる窓口はたくさんあるよ。100人いれば100通りの悩みがあって、100通りの解決方法があるから、まずは相談してみよう。

24時間子供SOSダイヤル

24時間子供SOSダイヤルは、一おしの相談窓口。ちょっとだけ勇気を出して相談してみよう。悩んでいることを言う勇気は必要だけど、大丈夫。10桁の番号を押して「もしもし…」するだけ。夜間も休日も24時間OKだよ。通話料無料。

フリーダイヤル
0120-0-78310

★ 管理しているところ：文部科学省

★ 受付時間：24時間いつでも（休日もOK）

★ 原則として電話をかけた所在地の教育委員会の相談機関に接続されます。

7章

ワクワクとニコニコの
毎日をキミへ──

微笑問題からの
アドバイス

実はジョーとトールは本当に大学の先生なんだよ。
ジョーはワクワクを、トールはニコニコを研究しているんだ。
その研究内容を紹介しつつ、キミたちに友だち術の極意を指南。
この章はぜひ、おうちの人にも見せてほしいな。

保護者の方へ

監修の先生方の研究と対談のページです。
ぜひお子さんといっしょにご一読ください。

教えて！ジョー

ワクワクの研究について

ワクワクは好奇心の源泉
相手に"これを伝えたい"と思うと、
相手へのワクワクが生まれます

この本に登場してきた「ジョー」と「トール」は、それぞれ実在する先生です。まずは「ジョー」こと上條正義先生に研究内容と友だち術との関係について、お話をうかがいました。

相手に伝えたいと思って
話をすると、
いろんな発見があるよ

皆さん、ジョーこと上條正義です。キャラと全然似てない？　ボクも教え子たちからそう突っ込まれないかと心配で。でもはっとりみどり先生がかわいいにゃんころにしてくれて、それをもとに、漫画家の橘皆無先生がイケメンに描いてくれまして。首に巻いているのはスカーフでなく、手ぬぐいです。いつも巻いているので。

さて、ボクは、大学で「ワクワク」の研究をしています。

「ワクワク」の研究とは何かというと、おもしろいことと出会った時や、好きなことをする時って、テンションが高くなって、気持ちが「ワクワク」するでしょう？　逆にイヤなことに出会うとどん

◀被験者（左）がうな重を食べる時のワクワク感を計測する実験。上條先生（右）の見ているモニター画面が下の写真。

な反応になるのか。人はその時の感情が体にあらわれるので、心電図や血流を測ると、その人が今、どんな気持ちなのかが見えてくる。そこで実験や観察を通して、人がどんな時にポジティブで快適な状態＝「ワクワク」となるのかを研究しているんです。では、人間関係の中で、どんな時に「ワクワク」するかというと、ズバリ、相手への興味や好奇心、突きつめると「愛」だと思うんです。話していて、「こいつ、おもしろいぞ」と思うと、相手に対して「ワクワク」が生まれてくるでしょう？

逆に何を話しているのかよくわからなかったり、つまらなそうに話していたりする相手には、「こいつおもしろいのかな?」と感じて、相手へのポジティブな興味はわいてこないですよね。

学生の発表でも、「こんなふうに言っておけばいいんでしょ」「何かやったことを言えばいいんだよね」とか、そんな気持ちで発表している人はすぐにわかります。なぜかというと、相手にこれを伝えたい、相手をワクワクさせたいという気持ちがないから。相手に伝えたい、わかってほしいと思うと、相手がわかるように配慮するし、それって相手に伝わるものなんです。言い方や言葉の選び方や、話す時の態度が自然にちがってくるんだね。

要は相手に対しての「愛」が、人の心を動かして「ワクワク」につながるんだと思うんです。人は十人十色で感じ方も考え方もちがうから、相手に合わせて「愛」をどう伝えていくかを考えることが、友だち関係を良くしていくんじゃないかな。

これを相手に
伝えたい

↓

どんな言い方を
すれば伝わるかな?

↓

こんな言い方なら
伝わる?
どんな言い方なら
楽しんでもらえる?

↓

相手を知りたい
＝
相手をワクワクさせたい

↓

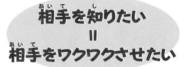

自分もワクワク
発生!

上條正義(かみじょう　まさよし)=『微笑問題』ワクワクのジョー役
信州大学繊維学部　先進繊維・感性工学科感性工学コース教授。
専門研究分野は感性工学。ワクワクしている状態を相手に伝える
評価尺度を作り快適な生活につなげる技術を研究中。
http://www.shinshu-u.ac.jp/faculty/textiles/
(信州大学繊維学部ホームページ)

ニコニコの研究について

ニコニコを育てていくと、本当の笑顔になって、その場に愛が生まれます

「トール」こと菅原 徹先生は、「ニコニコ」の研究をしている先生。笑顔のパワーと友だち術の関係についてお話をうかがいました。

ワクワクは種。笑顔は花。笑顔の花は、自分と周囲を明るくします

こんにちは。トールこと菅原徹です。

ボクは「ニコニコ」＝笑顔について大学で教えたり、研究したりしているよ。笑顔って、すごいパワーを持っているんだ。自律神経系の活動を整えて緊張をほぐしたり、表情筋運動は、意欲をつかさどる脳の神経を刺激し、脳の活性化により長期記憶を高めたり、楽しい気分を作り出したりするなどメンタルにも効果があるんだ。

ただ笑顔って、ボクはよく花にたとえるんだけど、笑顔（咲顔／エガオ）という花はすぐ枯れちゃうんだよね。だから枯れないように心がけることが大事。そのキーワードが「愛」だと思うんです。あれ？　上條先生と同じこと

▲表情筋運動を計測する実験

言ってる？（笑）。

でも「ワクワク」と「ニコニコ」は関連があって、「ワクワク」って好奇心だよね。好奇心の源。「ワクワク」という気持ちで接していくと、自然に笑顔が生まれて、笑顔が広がって増えると、自然にその場が「愛」に包まれる。そんな場では、友だち関係も無理せずともうまくいくものなんだ。人とのコミュニケーションに笑顔がどんな効果があるのかを次のページに挙げたので、それを読んで友だち関係にも「笑顔」を積極的に活用してほしいな。

笑顔は自分にも相手にもこんな効果が!

1. 意欲が高まる

顔の表情筋は、「好き・嫌い」「おもしろそう・つまらなそう」などの感情をつかさどり、意欲に関係する脳の「A10神経群」という場所とつながっています。明るい表情を作って表情筋を動かすと、目の前のことを「好き・おもしろそう」と脳が判断し、意欲が高まります。

2. 笑顔が伝染する

脳には「ミラーニューロン」という、他の人がしていることを見ると、自分のことのように感じる神経細胞があります。この働きによって、他の人の笑顔を見て自分も笑顔になったり、自分の笑顔が他の人を笑顔にしたりします。ミラーニューロンの働きが活発だと、笑顔の効果が広がりやすいのです。

3. 幸福になる

笑顔になると、脳がオキシトシンという物質を分泌し、幸福感が高まります。また、自分と他の人が笑い合うと、両方とも脳にオキシトシンが分泌され、自分も相手も幸福を感じます。この幸せを感じるという笑顔の効果が、人と人との間に信頼関係を築いたり、助け合うことにつながります。

笑顔の効果は循環し増幅する

菅原 徹
(すがはら とおる)＝『微笑問題』ニコニコのトール役

スマイルサイエンス学会(SSS)代表理事。早稲田大学人間総合研究センター招聘研究員。東洋大学非常勤講師。笑顔研究の第一人者。グリコのスキパニスマイル監修他、活躍中。
https://www.kanseismile.com/

「キミはキミのままでいいんだよ」
自己肯定感を持って
自分をポジティブに認めよう

ワクワクとニコニコの研究をしている上條先生と菅原先生。お二人そろって、友だち関係には子どもの自己肯定感が大きな影響を与えていると言います。本書の読者のおうちの方に向けて、お話を伺いました。

いじめの原因は
自己肯定感の低さにあり

 先ほど、ワクワクが笑顔の種で、笑顔がある場には自然と愛が生まれ、友だち関係もうまくいくとお話ししましたが、逆に言えば、友だち関係がうまくいっていない時は、笑顔もないし、そもそも相手に対するワクワク感がないわけです。では、どう

いう時にワクワクしないかというと、それは相手を知らない時なんですね。人は全く知らないことに対して恐怖を覚えます。そして怖さゆえに他者を攻撃してしまったり、自分を卑下したりするんです。SNSで見知らぬ他者を誹謗中傷したり、いじめが起きる原因はここにあると僕は思うんです。知らないことって、真っ暗闇なんですよ。でも、それを少しでも知っていると「あっ、知ってる」とワクワクが生まれてくるんです。要は知らないことに出会った

知ることは、
成長できた喜びを知ること。
そう捉えると
ワクワクが増してきます

時に、知ろうとする姿勢が取れるかどうか。それは自己肯定感次第なんです。自分に自信がないから、相手に自分から関われない。自分の実力不足が暴露されてしまうんじゃないかと不安になり、自分が否定されてしまうんじゃないかと怖くなるんですね。大学生を見ていても、昔に比べて人と関わるのを避ける傾向がより強くなっているように感じます。

そうです。自己肯定感の低い子が、近頃は信じられないくらい多い。人と関わるということは、人の情報をもらうということ。情報は小さな明かりみたいなもので、ポンポンと明かりがついて全体像が見えてくると、もっと知りたい、もっと関わりたいとワクワクしてくる。でも、最初から自分を閉じていると、せっかく

の情報がもらえなくなります。いかに自己開示して、自分のことを伝えるかというのが、相手の情報をもらうための基本です。

自己肯定感は、自分は自分のままでいいと思うこと、自分の考えを持つことです

それとね、自己肯定感が低いというのは、自分の中に神様がいないってことだと思うんです。有能感と言ってもいいんですが、自分の中に神様がいると、思ったことは絶対に実現できるという小さな成功体験の積み重ねをしていけばいいわけです。自分の中に神様がいないと外に神様を作っちゃう。アイドルとかバーチャルのゲームとか。すぐ「〇〇神」って言うでしょう？　そこでは自分がすごい神様になれた気がする。でも現実社会に戻ってくるとちがいますよね。何もできない。

人と関わるということは、
その人の情報をもらうこと。
自分を閉じていると
もらえません

　155

それで、より自己肯定感を下げちゃうんです。

「自分を持つ」というのは、やはりとても大事なことです。自分の考えを持つことで、他の人との考え方とのずれがわかる。そのずれについて語れることが自分に対する自信につながっていくのだと思います。では、「自分を持つ」にはどうしたらいいかというと、自分は自分のままでいいと思うことなんですね。自分で自分を肯定することができるかどうか。それにはうまくいかないという経験をいかにするかだと、僕は思うんです。プログラムとか作ると、まず最初は動きません。で、どこが動かないのかと子どもたちは悩むわけです。その時「自分は悪くない」と思うと、まちがっている部分は見えてこない。コンピュータの立場に立って、どういう状況なのかということを察しないと見えてこないんです。そうした体験を人間関係でもしていくと、だんだん子どもたちが打たれ強くなって、「自分を持つ」ようになっていくのを感じます。

そうですね。自分で考えてやってみるという経験がなさすぎるというのもありますね。小さい頃からうまくやらないと怒られるという教育をされてきている反動なのかなとも思います。みんなすごく失敗するのを嫌がるというか。無駄なことはしたくない。うまくいかないかもしれないような無駄なことを、なんでやらなきゃいけないんですかと言ってくる。

経験が積み重なってくると、自分はこういうものを持っているんだとか、自分自身の考えを出していいんだとか、自分を出すことが恥ずかしくなくなってくるのかな。

十人十色。自分の中に自分の評価基準を持っていますか?

他者との関係でもう一つ大事なことに、自分とちがうことを認められるかどうかというのがあると思います。ネットを見ていても、「ちがう」ということに対しての攻撃、すごい

ですよね。それはルールに外れてる
とか、おかしいとかすぐ言ってくる。
この本の中でも「十人十色」という
キーワードが出てきますが、これは
ダイバーシティ＝多様性のことで
す。性別や人種、国籍、宗教などの
ちがいを認め合い、多様性を生か
していこうという捉え方ができるか
どうかは、国際社会を生きる今の
子どもたちにとって、とても重要に
なってくると思います。

研究発表会とか学会とか、いろん
な人がいるじゃないですか。質問と
か、思いもよらなかったことを指摘
されたりするんです。

十人十色、自分とは全くちがう考え
方の人たちが世界にはたくさんい
るんだなと実感すると同時に、自分
が気づかなかったことを教えても
らえるので、ワクワクします。これが
みんな自分と同じような人ばかり
だとどうでしょう。質問も、自分が
想定したものと同じような質問ば
かり。自分を高めることにはつなが
りません。多様性は自分を高める
ことにつながるのだと前向きに捉

えてほしいですね。

知りたいという知識欲って、突きつ
めていくと自己愛だと思うんです。
知らないことがわかったというの
は、自分の成長を自分が感じられ
ることで、楽しいし、うれしいことな
んですよ。自己愛がある人、いわゆ
る自分を愛することができる人は、
他者も許すことができます。逆に自
己愛がない人は、他者も許せない。
自分すら愛せないのですから、他
者を愛したり、認めたりなんかでき
ないですよね。

そう思います。それでちょっと話は
ずれるかもしれないんですが、自己
愛を感じるには、「人からの評価を
求めない」ということも大事だと思
うんです。なにせ十人十色ですか
ら、ある人には注目されたり、また、
されなかったり。万人から評価され
るということは難しい。だから人か
ら評価されることをやろうとすると
苦しくなるんですよ。人からの評価
ではなく、自分で評価基準を作る
ことです。目標を決めて、ここまで
やったら自分をほめてあげようと。

人の目を気にしないということができると、生きるのがちょっと楽になります（笑）。

保護者の方は、お子さんが答えを出すまでじっと我慢。十人十色でその子に合った手の差し伸べ方を

 先ほどの十人十色で、評価の話が出たと思うんですが、保護者の方にお願いしたいのが、どうかお子さんを評価する時に一つの軸で見ないでくださいということ。たとえば塾に通っていて、その中の序列でお子さんを評価したり、他のお子さんとの比較で、我が子を評価したりするのはやめてほしいですね。脳にはミラーニューロンっていう、人がやっていることを自分も同じように感じるという神経細胞があって、親の考え方って、子どもの考え方にすごく影響を与えるんです。

 ですから、親御さんは近道や正解を知ってるかもしれないけれど、それは言わない。言いたいけど我慢

していただいて、答えが出てくるまで待ってほしい。山本五十六の有名な言葉「やってみせ、言って聞かせて、させてみせ、ほめてやらねば、人は動かじ」まさにこれですね。私が学生を育てる時もそうですが、まずやってみせて、言ってみて、やらせてみて。これが人を育てていく根本なんだろうと思います。

 つい「なんでこんなこと、できないの」とか言いたくなるでしょうけど、それもグッと我慢していただきたいです（笑）。叱ると萎縮して、脳機能的にもダウンしてしまいますから。フリーズするんです。ですから、「やったら楽しいよ」というワクワクにつなげる動機づけを、意識した声かけをしていただくとうれしいですね。

 「成長したね、大きくなったね」と、ムギュッとハグしてあげてください。後は親御さん自身が楽しそうに生き生き過ごしていただければいいんです。それがお子さんにとって、何よりの自己肯定感への動機づけになると思いますよ。

クラスは平和になった!!

なぜなら学級文庫に『友だち術』が入ったからだ!!

おすすめ本 友だち術

クラス中の子たちが読んだの♡

そんななか 自己肯定感200%のみけに異変が!?

どんより…

3週間後…
おシャムくんが家に来るの…
あたしの部屋も見られちゃう…

どうした!?みけ!

どうする!?みけ

わーい!がんばれ!!

5分でわかる片づけ術

大丈夫!!
まだ間に合うよ
この本を読んで
汚部屋と
さよならしよう!!

Let's Smile

★既刊・続巻シリーズの詳細についてはこちらを

片 5分でわかる 片づけ術 を読んで解決するにゃ!

みけの部屋の運命やいかに?

●基本的な知識やルール、マナーを知らないと危険がいっぱいのインターネットについて、専門の先生が教えてくれる『5分でわかる安心ネット術』も続巻予定!

小学生実用BOOKS

5分でわかる 友だち術

2021年3月2日発行　第1刷発行

企画制作	チームにゃんころ
キャラクター原案	はっとりみどり
漫　画	橘　皆無
監　修	上條正義
	菅原　徹
指　導	吉永安里
	神田裕子
装丁・本文デザイン	今井悦子（MET）
編集協力	株式会社興味しんしん
校　閲	株式会社麦秋アートセンター
協　力	松本裕希　さわぐちゆう　SBC信越放送
発行人	小方桂子
編集人	芳賀靖彦
企画編集	安藤都朗
発行所	株式会社学研プラス
	〒141-8415　東京都品川区西五反田2 -11-8
印刷所	大日本印刷株式会社
製本所	株式会社難波製本

●お客様へ
【この本に関する各種お問い合わせ先】
○本の内容については、下記サイトのお問い合わせフォームよりお願いします。
　https://gakken-plus.co.jp/contact/
○在庫については　Tel 03-6431-1197（販売部）
○不良品（落丁、乱丁）については　Tel 0570-000-577　学研業務センター
　〒354-0045 埼玉県入間郡三芳町上富279-1
○上記以外のお問い合わせは　Tel 0570-056-710（学研グループ総合案内）
©Midori Hattori 2021/Gakken　　　Printed in Japan

学研の書籍・雑誌についての新刊情報・詳細情報は、下記をご覧ください。
学研出版サイト　https://hon.gakken.jp/

指導 **吉永安里**
（よしなが　あさと）

國學院大學人間開発学部子ども支援
学科准教授。私立幼稚園勤務の後、東
京都公立小学校教諭、東京学芸大学附
属小金井小学校教諭を経て、現職。主
な著書に『ダイヤモンドチャート法―読
みを可視化する方略』（東洋館出版社）、
『幼児教育から小学校教育への接続』
（世界文化社）、共著に『育てたい子ども
の姿とこれからの保育』（ぎょうせい）、
『幼児期の終わりまでに育ってほしい
10の姿』（東洋館出版社）など。
https://www.kokugakuin.ac.jp/
account/91849

指導 **神田裕子**
（かんだ　ゆうこ）

心理カウンセラー。北海道札幌市出身在
住。札幌市内の専門学校・短期大学にお
いて「心理学」「コミュニケーション論」等
の指導をする傍ら学生相談室のカウンセ
リング業務に従事。北海道各地の官公庁
や全国の一般企業を対象に講演・研修、
心理カウンセラーを養成するスクールを
北海道、熊本、東京で開校、数多くのカウ
ンセラーを輩出。主な著書『最高の考え方
「自分が好きになる」心理アプローチ大
全』（Clover出版）。
http://www.realiese.com/
（オフィス レアリーゼ）